D0674353

Vivre et travailler avec
la schizophrénie

Informations et ressources
pour les patients, leurs familles,
amis, employeurs et professeurs

par

M.V. Seeman, S.K. Littmann, E. Plummer,
J.F. Thornton et J.J. Jeffries

traduit et adapté par

Yves Lamontagne
et Alain Lesage

edisem inc.
2475 Sylva Clapin
St. Hyacinthe, Qué

maloine s.a.
27, rue de l'École de Médecine
75006 Paris

Traduction de l'édition anglaise
Living and working with schizophrenia
publié par University of Toronto Press

Dépôt légal — 4e trimestre 1983
Bibliothèque nationale du Québec
Bibliothèque nationale du Canada

Tous droits réservés
Copyright 1983 by Edisem Inc.
ISBN 2-89130-079-3

Imprimé au Canada

Table des matières

Avant-propos 5
Préface 9
Remerciements 12
Première partie: Informations de base
   I. Qu'est-ce que la schizophrénie? 15
   II. Traitement hospitalier 28
   III. Traitement ambulatoire 43
   IV. La médication 61
   V. Comment les parents peuvent aider 72
   VI. Soutien aux parents 96
   VII. Le travail et l'école 106
   VIII. L'avenir 112
Deuxième partie: Témoignages
   IX. Témoignage d'une mère 119
   X. Témoignage d'un père 124
   XI. Je suis schizophrène 127
   XII. Histoire d'un schizophrène 137
   XIII. Le point de vue d'une mère 145
   XIV. Le dilemme du médecin 151
Annexe I 160
Annexe II 165

Avant-propos

Je suis schizophrène, et les auteurs m'ont demandé d'écrire un avant-propos pour ce livre, à cause de mon premier ouvrage, The Butterfly Ward, un recueil de courtes histoires reliées à la schizophrénie.

Je crois que je suis schizophrène depuis l'âge de 9 ans. Les schizophrènes passent par des phases de lucidité, mais, lorsqu'ils ne sont pas lucides, la vie est un véritable enfer pour eux: enrageant toute la journée, ils passent la nuit alités dans un état semi-catatonique, entendant des voix et voyant des choses que personne n'entend ou ne voit (la lame effilée d'un rasoir ouvrant la peau comme un raisin trop mûr, l'odeur de la chair brûlée, etc.) Et tout cela, c'est vous mais, en même temps, ce n'est pas vous — à ce moment, seule l'illusion existe; vous avez ouvert la porte sur une autre réalité, porte dont vous seul détenez les clés. Pendant des jours, des mois, des années, la terre ne tourne plus sur son axe, et personne ne peut entrer. Nous pensons reconnaître quelqu'un que nous avons connu pendant des années, nous voyons son visage sur une douzaine de personnes, et nous réalisons (parfois trop tard) que nous nous sommes trompés.

J'ai commencé à «rêver dans une autre langue» vers l'âge de 9 ans (ce n'est pas le cas de tous les schizophrènes), et cette langue n'était pas «terrestre». Lorsque j'utilisai cette langue, on la jugea inacceptable et je cessai de parler pendant sept ans. Plusieurs êtres vécurent dans mon autre monde. Le portrait d'un de ceux-ci, accroché dans mon salon, me rappelle que s'il existe un châtiment mérité, le monde ou le demi-monde dans lequel j'ai choisi de vivre est effectivement ce châtiment.

Il est des chaises sur lesquelles personne ne doit s'asseoir, certains coups frappés à la porte lorsqu'il n'y a personne, certains yeux mystérieusement noircis dans la noirceur du jour.

J'ai vu Satan, ange déguisé en chauffeur de taxi, j'ai couru nu-pieds dans la neige avec mon fils de trois ans parce que, pour moi, on n'était plus en 1976. Un sablier fut retourné à un moment donné (pendant la Seconde Guerre mondiale) et des avions patrouillaient, prêts à semer la mort. Le reste de ma famille, mes parents, mes sœurs et mon frère, furent réduits en miettes et séchèrent comme de vieilles feuilles d'automne. Seuls mon fils et moi avons survécu en cherchant les stations de métro où nous aurions été en sécurité avec d'autres personnes qui ne soient pas nos ennemis. Une autre sensation me revient: celle de s'asseoir sur une chaise, de parler à quelqu'un, et de sentir son corps se dédoubler et s'élever dans les airs, pour s'asseoir sur la chaise voisine. Les membres se détachent et flottent; certaines couleurs prennent des significations spéciales ainsi que certains objets. Je réalise que ce sont là des expériences très personnelles: chaque schizophrène possède sa propre clé de ses autres mondes. Une fois, mon père avait dit, soucieux et triste: «Elle a séjourné dans tant d'institutions que nous ne les comptons plus». On laisse toujours des êtres derrière soi: la famille. Les familles qui attendent avec une patience et un espoir de plus en plus minces, pendant des mois, des années; celles qui cessent d'attendre. Le fils ou la fille, la mère ou le père, cessent d'exister: ce ne sont plus que des meubles mis en dépôt dans quelque entrepôt. J'aimerais rappeler quelque chose aux familles: en présence d'un schizophrène, ne parlez pas de lui comme s'il n'existait pas. Nous sommes là, nous sommes *toujours* là, nous avons des oreilles comme tout le monde.

Il existe de bonnes et de mauvaises institutions, comme de bons et de mauvais psychiatres. La psychiatrie — malgré Freud et ses grandes découvertes dans les dédales du cerveau, et malgré Jung, Adler et ce nouveau venu, Laing — a encore beaucoup à apprendre. La psychiatrie, c'est Christophe Colomb cherchant la clé du cerveau. Parfois, on trouve la clé, et la boîte de Pandore s'ouvre, mais il faut alors faire face aux gargouilles qui en surgissent. J'ai eu la chance d'avoir un excellent psychiatre qui s'est occupé de moi pendant plusieurs années, malgré l'avis d'un analyste qui avait conseillé à ma famille: «Oubliez-la, elle est tout à fait folle, irrécupérable». Aujourd'hui, je suis une mère célibataire de 30 ans, propriétaire de sa propre maison, et qui élève son fils de six ans. Ma famille n'a pas oublié que j'étais vivante et que je combattais; elle a toujours été là. La chimiothérapie est d'un grand secours pour les schizophrènes. Je sais que, sans ma médication (un behavioriste me l'avait supprimée à un moment donné), je ne peux ni manger, ni dormir, ni fonctionner d'aucune façon. Sans médicament, je ne suis pas de ce monde.

Avec l'aide d'un bon psychiatre attentif, j'ai pu construire ma vie, pour moi-même et pour mon fils de six ans. J'ai accepté ma maladie et m'en suis servie pour écrire des livres, mais j'écris aussi à partir de plusieurs autres expériences. Je sais que tous les schizophrènes ne peuvent pas écrire, mais je sais qu'ils peuvent vivre et combattre, parce qu'il existe de bons psychiatres et des médicaments efficaces. Ils doivent encaisser le coup et se relever. Je sais que nous formons un groupe de boxeurs «sonnés».

Je ne suis pas «guérie», mais ma condition s'améliore considérablement. Je vis et je fonctionne à l'extérieur. Ceci ne signifie pas que vivre hors d'une institution psychiatrique est «agréable» ou «facile». Ce ne l'est pas. Si vous êtes schizophrène, vous constaterez que la solitude peut être épouvantable: c'est comme vivre en réclusion totale. Vous pouvez travailler avec les autres et remarquer qu'ils ne vous parlent pas, peut-être parce que votre discours est incohérent, ou parce que vous êtes effectivement timide. Vous pouvez habiter quelque part pendant des années sans vous faire un seul ami. Vous pouvez avoir l'impression de vivre et de vous mouvoir parmi les gens, comme un être invisible. Il ne vous sera pas facile de retourner dans votre famille, parce qu'on peut vous y considérer comme un étranger — ce qu'en fait vous êtes pour cette famille. Il faudra à vos parents un bon moment pour vous voir comme autre chose qu'une énigme. Ils peuvent cependant vous considérer toujours comme une énigme. Mais ce retour vaut la peine d'être tenté. Vous pouvez prendre plaisir à faire certaines choses que les autres ne remarquent plus. J'ai encore beaucoup de plaisir à fréquenter l'épicerie, à m'asseoir au restaurant, à aller au cinéma. Et lorque vous rencontrez un ami, et vous en rencontrerez, chérissez-le parce qu'il vaut plus que l'or. Vous êtes d'ailleurs tout aussi vivant et tout aussi précieux que n'importe qui dans ce monde. Il est bon de savoir que ce que vous ressentez, vous le ressentez vraiment.

Cette maladie apporte également quelque chose de bon et de merveilleux. Elle nous permet une rare autocritique, que bien peu de gens possèdent. Certaines personnes savent que nous sommes vivants et s'en préoccupent. Essayez de montrer au monde que nous avons de l'importance, beaucoup d'importance.

Margaret Gibson.

Préface

La schizophrénie est une maladie mentale grave. Les possibilités pour un individu d'être atteint de cette maladie au cours de sa vie sont de l'ordre de un pour cent. Elle se manifeste la plupart du temps vers la fin de l'adolescence ou au début de la vie adulte, à ces moments où l'on attend tout de la vie, et peut anihiler ces attentes en suivant un cours tortueux et parfois très long. Les victimes, aussi bien que leurs familles et leurs amis, sont affectées par la schizophrénie, et ce, de différentes manières. Leurs douleurs sont incommensurables, ainsi d'ailleurs que les coûts que cette maladie fait assumer à la communauté.

La maladie fut décrite il y a bien longtemps, et nous savons qu'elle existe partout dans le monde. Cependant, nous ne comprenons pas encore avec exactitude la cause (ou les causes) de la schizophrénie, bien que la recherche progresse rapidement. Au cours des premières années de l'étude de la schizophrénie, les chercheurs ont exploré toutes les possibilités: facteurs physiques, héritage génétique, aberrations biochimiques, facteurs sociaux et explications psychologiques. Ces investigations se poursuivent sans relâche aujourd'hui. Comme la détresse du schizophrène s'accompagne souvent d'une désorganisation de la vie des membres de sa famille, certains chercheurs en ont conclu que cette désorganisation survenait en premier. Ils ont prétendu que les symptômes schizophréniques étaient une sorte de tentative destinée à prévenir l'influence destructrice des membres de la famille. Cela a entraîné la fausse conclusion que la famille jouait un rôle causal dans la maladie, ce qui constitue un fardeau très lourd pour la famille.

Mais même sans cela, la schizophrénie impose un fardeau extraordinaire à la personne affligée et à sa famille. Puisque la famille continue d'assumer, et de loin, la responsabilité principale et le soutien moral, dans le long combat que l'individu livre à la schizophrénie, il est temps que les professionnels de la santé et les services sociaux cessent d'aliéner les familles en tirant de fausses conclusions sur les causes de la schizophrénie; ils devraient bien plutôt accroître et encourager les ressources familiales. On fait enfin de grands efforts professionnels pour mettre sur pied des organismes de soutien pour les familles des schizophrènes.

Les auteurs, qui furent activement impliqués dans le traitement et l'étude de malades schizophrènes dans des hôpitaux et des cliniques privées, ont commencé à envisager ce problème en instituant des groupes de parents. Se souvenant que des travaux similaires avaient été réalisés avec des familles de turberculeux au début du siècle, ils ont présumé que ces groupes pouvaient jouer un rôle éducatif et constituer un soutien motivant pour les parents et amis des schizophrènes. Il leur est apparu, grâce à ces groupes, que nombre de parents et patients possédaient peu d'informations adéquates sur la schizophrénie (son origine, ses manifestations, son développement, ses traitements, son évolution et ses risques).

Il est compréhensible que, par le passé, les professionnels de la santé — eux-mêmes confrontés à leurs connaissances incertaines des divers apects de la schizophrénie — aient été peu disposés à parler ouvertement et librement de cette maladie aux malades et à leurs parents. La plupart pensaient: «moins on en parle, moins cela fait mal».

Nous croyons que cette approche doit être modifiée, et nos efforts pour instaurer des groupes de parents, pour organiser des rencontres publiques et pour écrire ce livre (dont le but est de parler plus ouvertement de la schizophrénie) constituent des tentatives de structuration de nouvelles attitudes envers cette maladie.

Ce livre repose sur de nombreuses questions et réponses évoquées au cours de notre travail clinique avec des malades et leurs parents. Dans la deuxième partie, nous avons également inclu des exposés autobiographiques de problèmes et de résolutions.

De façon très arbitraire, nous avons choisi de parler d'un patient de sexe masculin, bien que, et cela doit être clair, les femmes soient aussi sujettes à cette maladie que les hommes.

Nous espérons que ce livre aidera grandement ceux qui savent déjà ce que c'est que de vivre avec la schizophrénie, mais qui ressentent le besoin d'en connaître davantage. Ce n'est pas un manuel d'enseignement, mais un livre de référence pratique, destiné à ceux que les professionnels appellent parfois «le grand public». Dans la vie courante, c'est vraiment le grand public qui peut contribuer, de façon quotidienne, à adoucir le sentier qui conduit le malade schizophrène vers une vie plus heureuse. Les professionnels, par contre, prodiguent leur surveillance et leurs conseils dans des endroits plus isolés, comme les hôpitaux, les cliniques et les bureaux privés de consultation.

Nous tenons à exprimer notre vive reconnaissance aux malades et aux parents qui ont contribué à la rédaction de ce livre. Nous remercions tout particulièrement ceux qui ont participé à des rencontres de groupes, en posant des questions et en exigeant des réponses.

Remerciements

Plusieurs personnes et organismes ont contribué à la rédaction de ce livre. Nous remercions particulièrement Mesdames Margaret James et Judi Levene, le Clarke Institute for Parents and Friends of Schizophrenia, Mlle Claire McLaughlin et l'Ontario Friends of Shizophrenics.

PREMIÈRE PARTIE
Informations de base

CHAPITRE I

Qu'est-ce que la schizophrénie?

Comment la schizophrénie fut-elle découverte?

Le mot schizophrénie fut introduit en 1911 par le psychiatre suisse Eugène Bleuler. En 1896, un psychiatre allemand, Emil Kraepelin, baptisa la maladie *dementia praecox* (folie précoce), car il pensait qu'elle entraînait une détérioration de la personnalité à un âge relativement jeune. Bleuler n'était pas d'accord avec cela. Il remarqua que la perte des fonctions mentales n'était pas inévitable. Le mot schizophrénie, vient du grec *skhizo,* se séparer, et *phren,* esprit. Bleuler voulait mettre ainsi en évidence une disjonction fondamentale, une désorganisation de la personnalité. Cette désorganisation pouvait se manifester sous forme d'associations incorrectes d'idées, d'expression inappropriée des émotions et/ou de perte de contact avec la réalité. On considère maintenant que la schizophrénie englobe diverses maladies aux symptômes quelque peu différents et aux causes également différentes.

Qui peut devenir schizophrène?

N'importe qui, dans n'importe quelle partie du monde, a une chance sur cent de devenir schizophène à un moment donné de sa vie. Cependant, les manifestations de la maladie sont, dans une certaine mesure, influencées par la culture environnante. Ainsi, la fausse conviction (délire) d'être Jésus surviendra beaucoup plus facilement chez une personne évoluant dans une culture chrétienne; l'impression d'être contrôlé par des influx électriques extérieurs se produira plus volontiers chez des gens vivant dans des pays où existe l'électricité. La maladie peut frapper indifféremment les deux sexes et fait généralement sa première apparition quand le sujet atteint la vingtaine. On rencontre des formes plus rares qui se déclenchent dans la tendre enfance ou plus tard dans la vie. La maladie touche sans distinction toutes les classes sociales; cependant, une fois atteints, les gens ont tendance à «régresser» socialement et finissent souvent par vivre dans les couches les plus pauvres de leur société, en partie à cause du départ de la maison familiale (dans le but d'être indépendant) et des conséquences douloureuses du chômage, des hospitalisations répétées et de la perte des aptitudes professionnelles. La pauvreté et la misère sont associées à la maladie, mais elles ne semblent pas en être la cause.

Qu'est-ce qu'une maladie?

Une maladie se manifeste par des symptômes et des signes. Les symptômes sont des expériences désagréables, douloureuses ou inhabituelles, bien qu'elles soient parfois agréables (rarement, cependant) et produisent une sensation irréelle de bien-être. Par contre, les signes sont des changements de comportement ou d'attitude que les autres peuvent remarquer. Les symptômes comme les signes peuvent être physiques ou psychologiques, ou les deux à la fois. Ils peuvent apparaître subitement et être graves: ils sont alors dits aigus. Ils peuvent, par contre, se développer insidieusement, parfois pendant de nombreuses années. S'ils persistent pendant une longue période, ils sont alors dits chroniques. Un état chronique s'installe généralement après qu'une personne ait subi plusieurs épisodes aigus.

Une autre façon de considérer les symptômes et les signes consiste à les classer en positifs ou négatifs. Par exemple, le fait d'entendre des voix alors que personne ne parle dans les environs (hallucinations auditives), ou une agitation importante, constituent des changements positifs: en effet, bien qu'indésirables, ce sont là des additions au comportement habituel de l'individu. Les changements négatifs représentent des pertes: par exemple, la diminution du besoin d'accomplir les activités essentielles, ou de la capacité d'apprécier les activités sociales. Les études ont montré que les symptômes positifs s'amélioraient plus que les autres par un traitement médical.

Quelles sont les principales caractéristiques de la maladie schizophrénique?

Le diagnostic de maladie schizophrénique n'est pas toujours facile à poser, parce que ses caractéristiques se manifestent progressivement et ne sont pas spectaculaires. Le diagnostic ne peut être posé avec certitude que quand le patient est complètement éveillé. Les symptômes sont de plusieurs types.

Les délires. Une personne peut avoir la conviction absolue (délire), sans que cela s'accompagne de changements de l'humeur, que: a) ses pensées sont influencées, contrôlées, enfoncées dans sa tête et/ou transmises; b) les événements environnants ont une signification particulière pour elle; c) elle est persécutée ou traitée injustement, victime de discrimination ou soumise à un traitement différent de celui des autres; d) elle a des pouvoirs extraordinaires ou qu'elle est très importante; e) son corps est changé ou loin d'elle, ou qu'il est déplacé ou influencé par une puissance extérieure.

Les hallucinations auditives. Une personne peut s'imaginer: a) que ses pensées sont énoncées à haute voix; b) qu'une voix parle d'elle et fait des commentaires sur son comportement; c) qu'une ou plusieurs voix lui parlent.

Les troubles de l'affectivité. Une personne peut afficher: a) des sentiments incongrus ou inappropriés (par exemple, rire quand elle parle d'événements tristes); b) un rétrécissement de l'affect (c'est-à-dire que la gamme de ses émotions est réduite); c) une perte de sa capacité d'établir ou de maintenir des relations interpersonnelles.

Les symptômes physiques. Ceux-ci peuvent comprendre: a) un ralentissement des mouvements, une tendance au retrait et à l'isolement; b) une très grande excitation ou de l'extase; c) l'adoption de postures étranges et d'un comportement maniéré (ces deux derniers symptômes se sont raréfiés au cours des vingt-cinq dernières années, pour des raisons inconnues).

Une rupture nette dans la vie du patient. Celle-ci peut prendre la forme d'un changement radical du comportement ou de la personnalité.

On n'envisage pas de diagnostiquer d'emblée la schizophrénie quand une tristesse marquée et de la dépression se manifestent ou quand existent des indices d'usage récent de drogue (particulièrement LSD ou amphétamines). On ne doit cependant pas oublier que le schizophrène use parfois de telles drogues pour soulager sa détresse intérieure. Celles-ci peuvent quelquefois favoriser l'éclosion de la maladie là où une prédisposition à la schizophrénie existait déjà.

Le diagnostic est souvent plus facile à poser quand les premières manifestations de changement de comportement sont aiguës. Malheureusement, on sait que plus une personne devient malade lentement et insidieusement, moins elle réagira positivement aux différentes méthodes de traitement actuellement disponibles. Un diagnostic exact exige une formation professionnelle et une solide expérience.

Quelles sont les causes de la schizophrénie?

On a beaucoup écrit sur les causes probables de la schizophrénie. Plusieurs théories durent être rejetées, parce qu'élaborées trop rapidement, sans recherche scientifique suffisante. Par exemple, à l'époque victorienne, certains accusèrent sérieusement la masturbation d'être à la source de toutes sortes de maladies mentales, y compris la schizophrénie. D'autres théories en rendirent responsable l'alimentation et favorisèrent la prise de fortes doses de vitamines. D'autres chercheurs pensèrent avoir trouvé une des causes dans les mauvaises communications interfamiliales; plus tard, il devint évident que les problèmes de communication (par exemple, le «double bind» ou double contrainte — message émis d'une personne vers une autre et contenant des attentes contradictoires) pouvaient être observés dans presque toutes les familles. La découverte de la fameuse tache rose sur les chromatographies obtenues à partir de l'urine de patients schizophrènes avait soulevé de grands espoirs d'une percée au plan chimique. Il devint toutefois évident, plus tard, que cette tache rose était associée à la diète hospitalière des patients. Les chercheurs empruntèrent plusieurs voies. Certaines les firent progresser, la plupart aboutirent à une impasse. Cependant, plusieurs théories sont généralement acceptées: par exemple, une prédisposition ou une susceptibilité à la schizophrénie peut être transmise d'une génération à l'autre (voir page 25).

Comme les symptômes font généralement leur première apparition vers la vingtaine ou même la trentaine, et non à la naissance, un déclencheur hormonal lié à l'âge ou au développement serait nécessaire pour que la maladie schizophrénique s'installe.

Le stress peut-il causer la schizophrénie?

Il ne fait pratiquement aucun doute que le stress contribue fréquemment à la première apparition ou aux rechutes de la maladie. Par exemple, des études sérieuses ont montré qu'une rechute de la maladie schizophrénique se produisait souvent chez un individu dont l'emploi était menacé. Une telle rechute est également plus fréquente quand la personne vit dans un milieu excessivement chargé sur le plan émotionnel, et dans lequel elle est souvent exposée au jugement critique de son entourage. Ce type de stress entraîne des ulcères d'estomac chez l'un, des irruptions cutanées chez l'autre, de l'alcoolisme chez un troisième et la schizophrénie chez certains autres. La principale théorie actuelle concernant la cause de la schizophrénie est la suivante: le stress produirait dans l'organisme des changements biochimiques que les cellules cérébrales ne pourraient contrôler adéquatement. Les recherches en cours se concentrent sur un transmetteur chimique du cerveau, appelé dopamine. Quelques chercheurs soupçonnent que certaines cellules du cerveau, chez le schizophrène, sont probablement ultrasensibles à la dopamine; d'autres supposent que les mécanismes nécessaires pour neutraliser la dopamine font défaut. Actuellement, il semblerait que la schizophrénie ait définitivement une base physique, mais que son apparition soit déclenchée par le stress.

Les perspectives ne sont pas aussi sombres que certains l'ont laissé entendre. Pour le patient et sa famille, il est important de s'informer sur la maladie, pour pouvoir s'adapter plus efficacement. Toutes les personnes impliquées (le patient, sa famille, les amis, le thérapeute) devraient savoir clairement ce qu'est la maladie et ce qu'elle n'est pas, et que cela implique pour le passé, le présent et l'avenir. Lorsque les patients, les familles, les amis et les thérapeutes travaillent ensemble, les perspectives sont plus optimistes.

Dire ou ne pas dire?

Plusieurs médecins, eux-mêmes incertains, ne disent ni à leurs patients ni aux membres de leurs familles, que le diagnostic pourrait en être un de schizophrénie. Le schizophrène peut, par exemple, afficher des signes qu'on ne peut distinguer de ceux associés à l'usage du LSD ou à la psychose aux amphétamines. Ou encore, un comportement de type schizophrénique peut être une réaction isolée qui, une fois disparue, ne se reproduit jamais. Plusieurs médecins préfèrent ne pas parler ouvertement de schizophrénie jusqu'à ce qu'un diagnostic sûr soit porté, afin d'éviter aux patients et aux familles des inquiétudes et des préoccupations inutiles. Pourtant, l'expérience prouve que les patients et leurs familles s'inquiètent quand ils sont dans l'ignorance. Ils ont le droit de savoir, au moins, quelles sont les possibilités de diagnostic, d'être informés totalement, et de façon professionnelle, des meilleures mesures préventives et thérapeutiques disponibles, et de repartir avec une perspective à la fois réaliste et pleine d'espoir sur l'avenir immédiat et à long terme.

Même quand le diagnostic est certain, plusieurs médecins hésitent à communiquer cette information au patient et à sa famille. Ils prétendent que ce diagnostic est encore si mal connu que le fait d'en informer la famille d'un schizophrène pourrait être dommageable; cela pourrait, selon eux, entraîner des conclusions totalement erronées. De la même façon, certains médecins répugnent à utiliser le mot *cancer* pour les types de cancers les plus traitables, parce que ce mot porte en soi tant de sinistres connotations que les personnes atteintes seraient inutilement effrayées. Il est bien sûr essentiel, en annonçant le diagnostic, d'expliquer la maladie et de mettre l'accent sur la gamme des atteintes que peut entraîner la schizophrénie; alors qu'elle peut effectivement rendre un individu très malade, dans d'autres cas, elle peut n'être que légère. Il faut également expliquer que les traitements actuellement disponibles, s'ils ne guérissent pas, soulagent la plupart des symptômes et permettent une qualité de vie satisfaisante. Expliquer complètement la maladie vaut généralement mieux que tenter de la cacher.

Certaines maladies ont acquis une connotation honteuse, comme si elles étaient liées à la saleté ou au péché, et qu'on doive les cacher au public. C'était le cas de la lèpre autrefois, avant que les gens réalisent, grâce aux travaux d'Albert Schweitzer, en Afrique et de Mère Teresa aux Indes, que les lépreux étaient des êtres humains et que leur maladie était relativement non contagieuse, parfaitement curable, et certainement pas la rançon du péché. Certaines infections et «maladies sociales» partagent cette réputation honteuse, ainsi que certaines maladies mentales. Si les médecins eux-mêmes ne doivent trouver «honteuse» aucune maladie, ils sont souvent sensibles à l'opinion publique et inventent des noms pour certaines maladies, afin de mettre le patient à l'abri d'humiliations inutiles. C'est pour cette raison que les personnes atteintes de schizophrénie s'entendront probablement dire qu'elles sont victimes d'une «dépression nerveuse», qu'elles sont «stressées», qu'elles souffrent «d'épuisement», qu'elles «traversent une crise d'identité» ou qu'elles sont affectées d'«une psychose fonctionnelle» ou d'«une psychose réactionnelle». Il existe plusieurs autres expressions et termes utilisés pour éviter au patient une étiquette diagnostique considérée comme honteuse. Notre travail nous a enseigné qu'il n'y avait rien de honteux dans la schizophrénie. Nous voudrions que le patient et sa famille le comprennent également.

Certains refusent de poser un diagnostic de schizophrénie, parce que dans certains pays, des dissidents politiques ont été envoyés dans des hôpitaux psychiatriques, où leur «maladie» était officiellement baptisée «schizophrénie». Cependant, dans la plupart des parties du monde, la profession médicale a réalisé que cette maladie, bien qu'elle atteigne l'esprit et la personnalité entière, était sous bien des aspects comparable à une pneumonie, à une fièvre rhumatoïde ou à toute autre maladie. Un médecin soucieux de déontologie n'utiliserait pas ce diagnostic pour exercer le pouvoir ou pour réprimer des opinions indésirables. Alors que dans certains milieux, ce diagnostic s'est acquis une réputation de désespoir, d'incurabilité ou de honte, une telle attitude est totalement injustifiée après l'apport de l'expérience contemporaine.

Quand nous ferons allusion, dans ce livre, à la schizophrénie ou au schizophrène, nous en parlerons de la même façon que nous le ferions du diabète et du diabétique. Comme «Il est diabétique» ne décrit que cet aspect de la personne qui a un rapport avec une maladie spécifique et avec les réactions à celle-ci, «Il est schizophrène» ne fait référence qu'à une maladie spécifique de l'individu et à ses réactions à celle-ci. Cet énoncé ne concerne ni la personnalité, ni l'intelligence, ni les principes moraux, ni les intérêts, ni les innombrables qualités qui font de cette personne un être unique. Cela fait référence à une maladie qui, bien qu'elle soit à déplorer, peut souvent être contrôlée, et qu'on pourrait vaincre dans l'avenir.

Avant de commencer ce livre proprement dit, nous voudrions répondre aux deux questions le plus fréquemment posées: «Une vie sexuelle normale est-elle possible pour le schizophrène?» et «Le schizophrène devrait-il avoir des enfants?»

Une vie sexuelle normale est-elle possible?

Dans la schizophrénie, les capacités sexuelles ne sont pas affectées, pas plus que les sentiments ou les besoins sexuels. La capacité de courtiser quelqu'un est toutefois fréquemment perturbée. La maladie frappe souvent à l'adolescence ou au début de l'âge adulte, avant que les habiletés sociales et les aptitudes à entamer des relations amoureuses soient pleinement développées. Après la phase aiguë de la maladie, il est parfois difficile de rattraper ce que la période critique a fait perdre. La confiance en soi peut être temporairement ébranlée et l'individu peut se croire antipathique.

Ce manque de confiance est difficile à dépasser, ce qui explique peut-être pourquoi la majorité des gens souffrant de schizophrénie ne se marient jamais. Ceci est encore plus vrai pour les hommes que pour les femmes, parce que l'homme, traditionnellement, doit prendre l'initiative pour aborder et fréquenter les femmes. La gêne et le manque d'occasions rendent les relations sexuelles difficiles, particulièrement pour ceux qui ne se marient pas, bien que l'entraînement à faire la cour et l'éducation sexuelle puissent aider à surmonter cette difficulté.

Certaines personnes ont remarqué que l'excitation et la stimulation émotionnelle vécues dans la sexualité interpersonnelle pouvaient déclencher chez elles des symptômes de schizophrénie. Ces personnes peuvent apprendre à éviter la sexualité interpersonnelle et à satisfaire leurs besoins sexuels par les fantasmes et la masturbation. L'angoisse de l'intimité avec une autre personne peut être allégée par des techniques behavioristes, par la discussion et, parfois, par la médication. Une thérapie avec le partenaire et les jeux de rôle se sont parfois avérés utiles. Les fantaisies sexuelles peuvent, comme d'ailleurs à peu près n'importe quoi, faire partie intégrante de la pensée délirante (irréelle) du schizophrène. Il peut alors sembler que les besoins sexuels fassent tellement partie de la schizophrénie qu'on ne pourrait les en dissocier. La psychothérapie peut aider à conserver des besoins sexuels sains et à les libérer de leur environnement dans une pensée irréelle.

Les médicaments utilisés contre la schizophrénie exercent certains effets sur les hormones. Si cela affectait la fonction sexuelle, il faudrait en parler au médecin traitant, et une médication différente pourrait alors être essayée.

Les femmes soumises à une médication antipsychotique cessent parfois d'être menstruées. Elles devraient savoir qu'il s'agit là d'un effet secondaire, et que cela ne signifie pas qu'elle ne peuvent plus concevoir. Les différentes méthodes destinées à éviter une grossesse non désirée doivent être envisagées ouvertement avec le médecin.

Schizophrénie et grossesse

Il existe environ une chance sur cent qu'un enfant, qu'il soit né à quelque époque ou à quelque endroit que ce soit, développe la maladie schizophrénique à l'âge adulte, mais il n'existe actuellement aucune méthode permettant de détecter cet enfant prédisposé. Cependant, nous savons que le risque augmente (10 p. cent) si l'un des parents est schizophrène. Si le père et la mère ont tous deux été affectés de schizophrénie, le risque passe à 40 p. cent. Bien qu'on ne sache pas exactement comment la schizophrénie est transmise d'une génération à l'autre, il est clair que la prédisposition héréditaire joue un rôle important. Nous savons que les enfants naturels de parents schizophrènes, même s'ils sont adoptés très tôt, courent plus de risques de schizophrénie que quiconque. En d'autres mots, ce n'est pas le fait de vivre avec un parent schizophrène qui favorise l'apparition de la maladie, c'est bien plutôt l'héritage biologique. Les enfants adoptés par des familles dans lesquelles un des parents adoptifs devient schizophrène, n'ont pas plus de risques que quiconque de devenir schizophrènes une fois adultes.

Chez les vrais jumeaux, si l'un est schizophrène, l'autre a 40 p. cent de chances de le devenir aussi. Il en est ainsi, que les jumeaux soient élevés ensemble ou séparément. Si ce sont de faux jumeaux, si l'un est schizophrène, l'autre a 10 p. cent de chances de le devenir; ceci représente exactement le même risque que pour un frère ou une sœur non jumeaux.

En fait, plus le degré de consanguinité avec une personne atteinte de schizophrénie est élevé, plus le risque génétique d'être touché par la maladie est grand. Si vous êtes le frère, la sœur, le fils ou la fille d'un schizophrène, votre risque de le devenir vous-même est d'environ 10 p. cent. Si vous êtes le petit-fils, l'oncle, la tante, le neveu ou la nièce d'un schizophrène, votre risque n'est plus que d'environ 3 p. cent. Ce pourcentage indique le risque de développer la maladie à un quelconque moment de votre vie. La période de risque maximum, du moins pour les hommes, se situe de la fin de l'adolescence, au début de la vingtaine. Pour les femmes, cette période a tendance à être un peu plus tardive: entre 25 et 35 ans. Plus vous êtes âgé (surtout après 35 ans), plus le risque d'une première attaque de schizophrénie diminue.

Les personnes atteintes de schizophrénie doivent considérer le risque génétique pour un enfant à naître avant d'envisager sa conception. Ils doivent également songer à la difficulté d'être parents. La grossesse peut être stressante: comme il n'existe aucune médication qui soit totalement inoffensive pour le fœtus au cours des trois premiers mois de la grossesse, la médication antipsychotique régulière pourrait être interrompue, et cela pourrait déclencher la maladie chez la mère. Il existe plusieurs autres tensions physiques, psychologiques et financières pendant la grossesse et lors de l'accouchement. L'accouchement déclenche fréquemment un épisode schizophrénique chez la mère prédisposée. Les exigences des nourrissons envers les parents sont permanentes, et ces responsabilités continuelles sont très difficiles à assumer par la plupart des gens atteints de schizophrénie. Sans ressources familiales et financières substantielles, il est exceptionnellement difficile d'être parent pour les individus ayant souffert de schizophrénie.

CHAPITRE II

Traitement hospitalier

L'hospitalisation est-elle toujours nécessaire?

Les hôpitaux ne sont généralement pas considérés comme des lieux de réjouissances. La plupart des gens répugnent à quitter leur maison pour entrer à l'hôpital. Quelle que soit la maladie qui l'exige, l'hospitalisation demeure une démarche d'exception.

Pourquoi alors admettre un schizophrène à l'hôpital? Le médecin peut recommander l'admission à l'hôpital parce qu'un patient souffre d'une grave maladie aiguë qui nécessite une observation et des soins intensifs. Le patient peut aussi afficher des signes et des symptômes que le médecin ne peut expliquer facilement ou qui constituent un risque éventuel pour sa sécurité et sa santé. Même quand la personne ne traverse pas une phase aiguë, le médecin peut décider d'opter pour l'hospitalisation, dans le but d'observer et d'étudier la maladie. L'hospitalisation a l'avantage de permettre une observation et des soins professionnels au patient en phase aiguë, ainsi que l'investigation des symptômes moins aigus, et ce de façon planifiée et systématique. En psychiatrie, l'hôpital sert également à «refroidir les esprits», par exemple lorsqu'une grave dispute a disloqué la vie familiale. Parfois, certains patients sont admis à l'hôpital simplement parce qu'ils n'ont plus de toit et qu'ils ont besoin d'un abri. Les normes d'admission à l'hôpital varient quelque peu d'une région à l'autre et d'un hôpital à l'autre.

Toutes ces considérations influent sur la décision d'admettre ou non un schizophrène à l'hôpital. L'évaluation et le traitement externes sont possibles dans la mesure où l'état du patient n'est pas trop grave, lorsque le médecin peut évaluer correctement la situation et que lui-même et son patient se connaissent bien. Toutefois, lorsqu'une personne subit sa première attaque de schizophrénie aiguë, elle a toutes les chances d'être très perturbée et effrayée; son comportement peut être tout à fait bizarre et bouleversant. Il devient difficile de prédire les risques de danger pour elle-même et pour les autres. Dans de telles conditions, l'hospitalisation est préférable. Cependant, pour être admis à l'hôpital, un individu doit donner son consentement. S'il n'est pas d'accord, le médecin décidera si, en l'absence de soins hospitaliers, il existe un danger physique grave pour le patient ou pour son entourage.

Les exigences légales doivent être respectées avant qu'on puisse hospitaliser une personne contre sa volonté. Les conditions varient d'un pays à l'autre, d'une province à l'autre, d'un état à l'autre. En général, les critères d'hospitalisation forcée sont devenus de plus en plus stricts au cours des dernières années. Dans la plupart des sociétés il faut prouver qu'il s'agit d'une maladie mentale sérieuse et qu'il existe un risque de danger physique, avant qu'une personne non consentante puisse être admise. Les hospitalisations forcées ne peuvent avoir lieu que sur recommandation d'un médecin, lequel doit se baser sur l'examen du patient et sur les détails fournis par la famille. L'admission doit toutefois être distinguée du traitement. Les patients admis peuvent encore refuser le traitement. Dans les pays où la législation concernant les maladies mentales est progressiste, le traitement dispensé contre la volonté d'une personne ne peut être entrepris sans l'approbation d'une commission d'appel; toutefois, dans les situations d'urgence, le parent le plus proche peut être appelé à autoriser un traitement donné (voir page 99).

Personnel hospitalier

Les services hospitaliers sont d'importance variable. Certains disposent de chambres simples ou multiples, alors que certains hôpitaux possèdent encore des dortoirs. Le service est généralement construit autour du poste infirmier, dirigé par l'infirmière-chef. Chaque service comprend également une salle de séjour et une salle à manger, ainsi que des salles de réunion et de jeux, des douches et des toilettes. En général, les services de psychiatrie ne sont pas des endroits qui favorisent l'intimité.

Le personnel relève des diverses disciplines des sciences de la santé. On retrouve des infirmiers (infirmières) diplômés et des infirmiers (infirmières) auxiliaires, des psychologues cliniciens, des travailleurs (travailleuses) sociaux, des ergothérapeutes et des animateurs (animatrices), lesquels travaillent généralement sous la direction d'un psychiatre qualifié. Le travail en équipe est devenu la norme, chaque équipe étant responsable d'un petit nombre de patients et chaque patient étant rattaché, pour l'essentiel de sa thérapie, à un ou plusieurs membres de l'équipe. Dans les hôpitaux universitaires, les résidents en psychiatrie occupent une place plus importante. Ce sont des généralistes qui entreprennent une formation spécialisée en psychiatrie. Des étudiants d'autres disciplines (médecine générale, service social, ergothérapie, psychologie, théologie) peuvent également séjourner quelque temps dans un service de psychiatrie. En plus du personnel de l'équipe, il y a le personnel de soutien: secrétaires, réceptionnistes, préposés aux cuisines et à l'entretien ménager et, dans certains cas, agents de sécurité. La plupart des bureaux du personnel se trouvent dans le service même, ou près de celui-ci, mais cela varie d'un hôpital à l'autre.

Les règlements d'un service reflètent l'orientation de l'équipe et la philosophie de l'hôpital. Un des éléments à la base de l'élaboration des règlements, est la nécessité de créer un milieu qui, bien qu'artificiel et restrictif, n'en soit pas moins sain. Par ailleurs, il y a la nécessité d'observer des patients qui peuvent parfois être très malades ou constituer un risque. Il existe souvent un système de privilèges. Ce système définit le degré de liberté dont jouit un patient donné dans le service. Le patient très malade peut être isolé dans sa chambre, avec un membre du personnel présent 24 heures sur 24. À l'opposé, un autre peut aller et venir comme il lui plaît, dans la mesure où il informe le personnel de ses intentions.

Quand un patient entre dans un tel système, il est important, pour lui-même et pour sa famille, qu'il soit informé des règlements du service. Quand cela n'est pas fait dès le début, des surprises désagréables peuvent parfois arriver au patient, à sa famille et même au personnel.

Premier examen

À son arrivée dans le service, le patient peut s'attendre à la fois à un examen physique et psychiatrique par un médecin. L'entrevue psychiatrique peut durer une heure ou plus; elle a pour but de permettre au médecin ou au thérapeute d'obtenir une vue d'ensemble des circonstances de la vie du malade et, en particulier, de connaître les changements récents. Les questions concernent l'apparition et l'évolution de la maladie, les relations familiales, les études ou le travail, les antécédents médicaux et les traitements antérieurs. Mais surtout, le médecin tente de comprendre comment la pensée et les émotions du patient fonctionnent au moment de son admission. Il y parvient en partie par l'observation et par des questions simples, mais aussi par certaines questions plus approfondies, parfois très personnelles. Des tests psychologiques peuvent être effectués ultérieurement par un psychologue clinicien, dans le but d'aider le médecin dans son diagnostic et dans l'organisation d'un plan de traitement adéquat.

L'examen physique vérifie l'ensemble des appareils, mais des examens spécialisés peuvent être proposés lorsque cela s'impose; ils seront alors réalisés par des spécialistes. Les urines et le sang sont soumis aux analyses de routine. Des examens supplémentaires peuvent être entrepris: radiographies, électrocardiographies, électro-encéphalographies (enregistrement des ondes cérébrales) et tomographies axiales du cerveau. Ces examens sont indiqués quand certains symptômes chevauchent ceux d'autres conditions pathologiques, ou quand une réaction inattendue au traitement se manifeste.

Les parents ou amis qui accompagnent le patient à l'hôpital peuvent être interrogés. Leurs informations seront utilisées pour comprendre la maladie et les relations sociales du patient.

Certains hôpitaux possèdent un service d'admission; après y avoir passé un certain temps, le patient peut être transféré vers un service de soins prolongés.

Le diagnostic

Il est généralement facile de poser le diagnostic de schizophrénie sur une personne hospitalisée. En fait, le diagnostic peut très bien avoir déjà été posé. Parfois, des doutes subsistent, et le patient peut alors exiger une période d'observation. Il n'existe aucun test spécifique à la shizophrénie; parfois, le médecin n'est donc pas absolument sûr de son diagnostic. Il faut que le patient et sa famille fassent confiance au jugement du médecin, s'ils ont des doutes, ils doivent demander une deuxième opinion. Un bon médecin accepte toujours qu'un collègue fournisse une deuxième opinion.

Toutefois, certains médecins sont mal à l'aise quand il s'agit d'annoncer le diagnostic de schizophrénie à leur patient, croyant que cette information risque de le bouleverser. Notre expérience atteste qu'il est probablement plus bouleversant encore d'être laissé dans l'ignorance, et ce pour quelque durée que ce soit, ou d'imaginer que le médecin ignore ce qui ne va pas. Parfois, le médecin est disposé à annoncer le diagnostic, mais c'est le patient qui n'est pas prêt à l'accepter; après tout, il n'est pas facile d'accepter d'être «malade mental». Il est très important pour le patient de savoir que la schizophrénie est une maladie, que c'est une maladie curable, et que sa coopération hâtera son rétablissement.

Choix du traitement

Généralement, le médecin qui a examiné le malade à l'admission, établit un plan provisoire de prise en charge et de traitement. L'un ou l'ensemble des éléments suivants peuvent y être inclus: médication, programme d'activités, programme concernant le comportement, rencontres individuelles et de groupe, observation générale et supervision. Dans les jours suivants, les membres de l'équipe impliqués dans les soins du patient se rencontrent et préparent un plan complet de traitement. Ensuite, un des membres de l'équipe rencontre le patient pour discuter de ce plan et de ses implications, connaître ses réactions et tenter d'obtenir sa coopération. Il n'est pas rare que le patient lui-même ait de bonnes idées sur ce qui pourrait l'aider, et il doit se sentir libre d'en faire part.

Médication

La place de la thérapeutique médicamenteuse dans le traitement de la schizophrénie est décrite au chapitre IV. On y trouvera également des renseignements précis concernant les différents types de médicaments actuellement utilisés, ainsi que les posologies.

Autres méthodes physiques de traitement

Sismothérapie (électrochocs)

La sismothérapie s'est acquis une mauvaise réputation ces dernières années, surtout à la suite de films comme *Vol au-dessus d'un nid de coucou*. Pourtant, il s'agit d'un traitement sécuritaire et humain, qui s'est avéré particulièrement efficace chez les gens souffrant de dépression grave. Elle peut également aider certains schizophrènes, spécialement ceux qui réagissent mal aux médicaments et qui, à cause de la désorganisation de leurs pensées et de leurs émotions, sont gravement perturbés ou suicidaires. Les complications physiques sont très rares, puisque des précautions particulières sont prises, grâce à un examen physique avant le traitement et à une anesthésie générale complétée d'une relaxation musculaire. Si certains patients peuvent subir des pertes de mémoire pendant le traitement, celle-ci redevient normale au bout de deux semaines environ. L'appareillage moderne de sismothérapie utilise moins de courant qu'auparavant et ne provoque que des troubles de mémoire légers et transitoires. Le traitement demeure toutefois controversé pour soigner la schizophrénie. Certains experts affirment que la médication rend la sismothérapie inutile. Les électrochocs ne peuvent être administrés sans le consentement écrit du patient.

Traitements physiques divers

Plusieurs traitements ont été utilisés pour combattre la schizophrénie. Parmi ceux-ci, les bains, chauds ou froids, les enveloppements humides ou secs (enroulement de tissu autour de l'individu, afin de le maintenir immobile), le coma insulinique et toute une variété de médicaments et de diètes. Tous ces traitements sont actuellement écartés. De nouvelles idées de traitement surgissent continuellement, et il faut les examiner, car elles pourraient constituer une percée. Le jeûne, la dialyse et la pénicilline sont trois de ces idées récentes. Aucune des trois ne semble avoir de chances de donner quelque résultat positif que ce soit, mais elles sont toutes étudiées sérieusement en clinique. Les familles doivent se montrer circonspectes face à tout nouveau traitement non éprouvé qui pourrait retarder le début d'une thérapie efficace. Si des traitements expérimentaux sont proposés, la famille doit exiger une deuxième opinion.

Traitements psychologiques

La compréhension, l'acceptation de l'état du patient et le réconfort sont des éléments importants du traitement hospitalier. Au départ, les stimulations inutiles doivent être évitées. Progressivement, on favorise les responsabilités et les prises de décision. Dans certains cas, des programmes psychosociaux et comportementaux aident le patient à réintégrer la société, en le récompensant systématiquement pour tout comportement socialement acceptable.

Traitement familial

Les patients hospitalisés avec un disgnostic de schizophrénie peuvent être classés de trois façons: 1) ceux qui réagissent à la médication et s'améliorent progressivement jusqu'à pouvoir réintégrer une vie normale, 2) ceux qui réagissent à la médication (en ce sens que leurs symptômes s'améliorent) mais qui sont affligés d'autres problèmes retardant leur retour à la normale et 3) ceux qui ne réagissent pas à la médication et dont les symptômes ne disparaissent que partiellement ou temporairement.

Dans le premier cas, l'approche la plus fructueuse du traitement familial consiste en échanges réguliers sur la nature et le traitement de la maladie, ses effets sur la famille et sur les possibilités de sortie de l'hôpital.

Dans le deuxième cas, les patients et/ou leurs familles peuvent avoir été confrontés à certains problèmes avant le début de la maladie, problèmes qui, normalement, ne les auraient pas amenés à rechercher un traitement psychiatrique ou une consultation. Toutefois, la maladie apporte tellement de stress que ces problèmes sont amplifiés et semblent parfois insurmontables. La thérapie familiale peut aider le patient et sa famille à résoudre ces difficultés et à reprendre une vie plus normale, en clarifiant l'influence des membres de la famille les uns sur les autres.

Dans le troisième cas, deux étapes sont généralement nécessaires. Tout d'abord on effectue une réévaluation médicale complète, afin de déterminer s'il existe des complications ou si des changements s'imposent dans la conduite du traitement. Ensuite, on procède à une évaluation complète de la famille. Parfois, le contenu des hallucinations et des délires peut être relié, souvent de façon symbolique, aux problèmes et aux préoccupations de toute la famille, ce qui explique que le patient puisse être réticent à les «abandonner». Par exemple, guérir pourrait signifier «accepter qu'un membre de la famille ait une maladie sérieuse qui exige une médication continue», et cela peut être particulirèment difficile à admettre pour le patient et pour sa famille. Parfois, les rôles de «patient» et de «soignant» s'enracinent tellement dans les familles qu'il leur devient difficile de les changer; parfois les symptômes du patient bouleversent un ou plusieurs membres de la famille, compliquant ainsi la situation. Dans de telles conditions, une thérapie familiale peut «libérer» le patient et/ou les autres membres de la famille d'un comportement stérile. Le patient peut ensuite mieux réagir au traitement, y compris à la médication ou à la psychothérapie. Des relations fort complexes peuvent exister entre les facteurs physiologiques et psychologiques.

Questions financières

En général, les patients hospitalisés en psychiatrie peuvent conserver le contrôle de leurs affaires, bien que les règlements hospitaliers exigent habituellement que les objets de valeur ou les fortes sommes d'argent soient déposés à la trésorerie de l'hôpital, pour raisons de sécurité. Lorsque la nature et l'intensité d'un trouble psychiatrique sont telles que des dommages financiers irréparables risquent de se produire, le psychiatre a le pouvoir de déclarer la personne inapte à administrer ses biens. Les affaires du patient sont alors gérées par un curateur privé ou par la curatelle publique (voir page 91).

Règlements concernant les visites

Les visiteurs sont les bienvenus dans les services de psychiatrie et de longues périodes de visites leur sont offertes. Certaines périodes sont toutefois réservées, afin d'éviter l'ingérence de personnes étrangères dans les programmes du service (thérapies, repas, sommeil, etc.). Les heures de visites et les règlements dépendent en outre de la philosophie du service et du type de patient qui y vit; il existe de grandes différences d'un service à l'autre. Dans certaines circonstances, la visite peut gravement perturber le patient ou son visiteur; le personnel peut alors temporairement suspendre les visites ou limiter leur durée.

Il peut arriver que le patient se plaigne, à sa famille ou à des amis, des traitements qu'il reçoit. Ces plaintes doivent être discutées avec le personnel. Elles peuvent résulter de la maladie, d'un malentendu entre le patient et le personnel, ou d'une insuffisance de la part du personnel qui doit alors être corrigée. La deuxième opinion d'un psychiatre, extérieur à l'hôpital, doit être exigée par les familles, si elles ont le moindre doute. Elles peuvent également demander un transfert dans un autre centre.

Autorisations de sortie

Lorsque la maladie n'est pas trop grave, le patient peut obtenir la permission de quitter l'hôpital pour passer le week-end avec sa famille ou ses amis, pour aller au restaurant ou au spectacle, ou pour s'occuper d'affaires familiales importantes. La réussite de ces sorties reflète le niveau du rétablissement. On peut juger, grâce au déroulement de ces sorties, dans quelle mesure le patient est prêt à reprendre ses activités quotidiennes normales. Il est important, après une sortie, que le patient fasse part de ses observations sur la manière dont il a fait face à la situation. Il est souvent utile que la famille ou les amis informent le personnel de tout événement important qui s'est produit au cours de ces sorties.

En général, toute autorisation de sortie doit être considérée comme une étape de la convalescence progressive, et non comme une implication sociale intense. En tout temps, le personnel du service doit prodiguer des conseils sur la meilleure conduite à tenir. Il est préférable, par exemple, qu'un patient sous médication ne conduise pas, ne boive pas ou ne s'approche pas d'instruments mécaniques quand il bénéficie d'une sortie, à moins qu'une permission expresse de son médecin traitant ne l'y autorise.

Évidemment, toutes les sorties ne se déroulent pas nécessairement bien, et si le patient se sent bouleversé, ou si son comportement bouleverse ceux qui l'accompagnent, il est parfaitement logique de rentrer à l'hôpital plus tôt, au lieu de perdre le contrôle de la situation.

Autres maladies

Tous les services de psychiatrie disposent d'unités de consultation médicale et chirurgicale et le patient peut généralement bénéficier d'un secours médical de qualité pour toute autre maladie qui peut survenir pendant son séjour à l'hôpital.

Le congé

Un court séjour à l'hôpital est généralement préférable parce que les gens hospitalisés pour une longue période ont beaucoup de difficulté à retrouver leur niveau de fonctionnement antérieur. Ceci est vrai, quelle que soit la maladie. Le séjour à l'hôpital favorise trop souvent la passivité, qui peut enjoliver le rôle «d'invalide» et déprécier le retour à une vie active. Toutefois, certains patients réagissent plutôt lentement au traitement. Le personnel psychiatrique assume la tâche délicate de maintenir l'équilibre entre un contrôle adéquat des symptômes et un congé rapide.

La décision finale du congé repose sur un certain nombre de facteurs, dont le degré de disparition des symptômes, le fonctionnement social du patient lors de ses sorties de week-end et le degré d'organisation du suivi thérapeutique. La durée du séjour varie beaucoup: elle est en moyenne de trois à six semaines pour un premier épisode de maladie schizophrénique.

Il est également très important que le personnel tienne compte du milieu émotionnel dans lequel le patient retourne vivre. Des études récentes ont montré que les patients qui retournaient dans des foyers où présidait un haut niveau d'expression émotionnelle (de nature surtout critique), risquaient davantage de rechuter et de retourner à l'hôpital. Toutefois, cela n'est vrai que lorsque le patient passe beaucoup de temps au foyer, en contact étroit avec les membres de la famille. Une trop grande intimité peut être source de tensions et de bouleversements pour tous les membres d'une famille (et pas seulement en cas de schizophrénie): ce n'est bien sûr pas une cause de schizophrénie, mais cela peut entraîner du stress, une rechute et la réadmission à l'hôpital.

Plusieurs possibilités s'offrent au moment du congé de l'hôpital. Premièrement, le patient peut décider de ne pas retourner au foyer familial; il faut alors prendre certaines dispositions, pour lui trouver un nouveau milieu de vie. Qu'il retourne ou non au foyer familial, le patient se portera probablement mieux s'il conserve des occupations en dehors de la maison, pendant la plupart des jours de la semaine: par exemple, au centre de jour, à l'atelier thérapeutique, à l'école ou au travail. En outre, les familles où président beaucoup d'émotions et de critiques pourront souvent bénéficier d'une aide professionnelle, afin de diminuer les tensions familiales et de rendre la situation plus facile pour tous.

Un plan de traitement complet pour le congé devrait inclure la médication, le travail, le logement et certaines activités sociales; un tel programme caractérise des soins psychiatriques de qualité, par rapport à ceux de moindre qualité. Le plan devrait être élaboré par l'équipe de l'hôpital, le patient, sa famille et l'équipe de psychiatrie communautaire impliquée dans les services posthospitaliers. C'est ici que les familles peuvent jouer un rôle crucial dans l'évaluation et l'adoption de différents choix possibles.

Hôpital de jour ou hôpital de nuit?

Plusieurs services de psychiatrie offrent des programmes de centres de jour. Ceux-ci sont destinés principalement aux patients qui, tout en étant aptes à recevoir leur congé de l'hôpital régulier, requièrent encore une période de traitement moins intense. Les patients «de jour» se présentent généralement les jours de semaine, pendant les heures de travail. Dans certains centres, ils suivent simplement la routine du service. D'autres centres ont développé, pour leurs patients de jour, un programme spécifique, qui leur permet de se concentrer sur leurs problèmes particuliers.

Certains centres spécialisés proposent des centres de jour d'un type différent, dans lesquels l'admission à un programme intensif de cinq ou sept jours/semaine constitue une alternative à l'hospitalisation régulière. Ces programmes sont d'autant plus intéressants qu'ils maintiennent les gens dans leur milieu naturel, leur évitant ainsi la honte de ne plus être vus par leurs amis ou leurs collègues.

L'hôpital de nuit constitue une autre forme d'hospitalisation partielle qui s'avère particulièrement appropriée pour les patients prêts à retourner au travail ou à l'école, mais qui se préoccupent de leurs aptitudes à se réajuster, notamment pendant la première ou la deuxième semaine après le congé. Pour ces patients, les soins de soir et de nuit apportent une solution. Le patient est absent du service toute la journée, puisqu'il est au travail ou à l'école, et il retourne au service pour le dîner. Il est souhaitable que de tels programmes spéciaux soient organisés pour ces patients, à des heures qui leur conviennent.

Conclusion

En conclusion, plusieurs patients schizophrènes ont besoin d'une hospitalisation, à un moment ou à un autre. Les principales raisons d'une hospitalisation sont: un risque grave pour le patient ou pour les autres, ou la nécessité d'un examen approfondi et d'une observation (y compris des tests). L'hospitalisation en soi ne guérit pas de façon permanente. Le principal objectif thérapeutique consiste à mettre au point des techniques de réadaptation qui continueront à s'opérer, bien après le congé de l'hôpital.

CHAPITRE III

Traitement ambulatoire

Le traitement hospitalier ne constitue qu'une partie du traitement global, puisque la schizophrénie demeure potentiellement présente pour le reste de la vie du patient. Le tiers environ des individus qui ont souffert d'une première attaque de schizophrénie n'en subiront jamais d'autres. Toutefois, les deux autres tiers auront besoin de traitements leur vie durant. Dans l'état actuel des connaissances médicales, il est impossible de distinguer ceux qui auront besoin d'un traitement à long terme de ceux qui n'en auront pas besoin. Cette incertitude amène à recommander systématiquement le traitement ambulatoire pour tout patient qui a souffert d'une attaque de schizophrénie.

À l'hôpital ou dans une clinique, le patient peut avoir des contacts avec certains membres de l'équipe traitante aussi bien qu'avec d'autres patients, dont des schizophrènes. En pratique privée, le patient s'implique dans une relation plus exclusive avec son psychiatre. Dans le premier cas, il peut développer une certaine confiance «institutionnelle», alors que dans l'autre, une forme de dépendance «personnelle» peut s'établir.

Visites ambulatoires

1. Si un patient ambulatoire effectue régulièrement ses visites à la clinique ou à l'hôpital, les médecins peuvent ajuster sa médication, afin de prévenir les éventuelles rechutes et de diminuer les effets secondaires (la plupart des patients reçoivent une médication après un épisode aigu de schizophrénie).

2. Le patient peut s'impliquer dans un programme d'activités sociales, afin de contrecarrer son apathie et sa tendance à l'isolement.

3. Il peut en apprendre davantage sur la schizophrénie et sur la manière d'organiser sa vie de façon satisfaisante, en dépit de sa maladie.

4. Les visites permettent également au patient de bénéficier d'une aide professionnelle (counselling) individuelle, de groupe et familiale, destinée à tenter de résoudre les problèmes personnels qui pourraient affecter sa maladie.

5. Le patient peut profiter en outre des services de liaison avec les écoles, les employeurs, les responsables du logement, les programmes de formation, l'assistance financière et les services de loisirs.

Qui a besoin de visites ambulatoires?

Toute personne qui a souffert de schizophrénie a besoin de traitements ambulatoires, si elle veut prévenir une rechute. Même les gens qui se considèrent complètement guéris doivent venir, parce que, eux aussi, présentent un risque de rechute. Pour éviter que les symptômes aigus ne réapparaissent, il faut généralement prendre une médication. Certaines personnes peuvent se rendre compte, avec le temps, qu'elles n'ont plus besoin de médication. Il est toutefois impossible de prédire quelles seront ces personnes; pour découvrir qui peut s'en passer, il faut s'accommoder d'un certain tâtonnement, d'essais et d'erreurs. Si les symptômes se manifestent à nouveau, cela signifie que la médication doit être poursuivie. Dépendre des médicaments ne constitue pas un signe de faiblesse: cela fait partie de la condition de la plupart des gens souffrant de schizophrénie, de même que l'insuline fait partie de la condition de nombreux diabétiques.

Un manque d'énergie et une répugnance à rencontrer autrui constituent une bonne indication pour prescrire un traitement ambulatoire. Plus une personne s'isole longtemps après un épisode aigu de schizophrénie, plus il lui sera difficile de refaire surface et d'affronter le monde. Le traitement propose des activités de rééducation dans les domaines d'intérêt de l'individu. On provoque ainsi des occasions de rencontrer des gens, de «sortir de sa coquille» de manière progressive, adaptée, et avec un maximum de soutien. Plusieurs programmes ont le même objectif, avec des modalités pratiques différentes.

Toute personne qui a souffert de schizophrénie doit parvenir à un *modus vivendi* entre sa maladie et son avenir. Certains auront besoin que leurs proches s'impliquent, de telle sorte qu'eux aussi apprennent ce qu'est la maladie et s'organisent en conséquence. D'autres auront besoin d'aide sur le plan de l'éducation, de l'orientation et du travail (grâce, par exemple, à des programmes éducatifs spéciaux ou à des ateliers protégés).

Fréquence des visites

La fréquence des visites des patients ambulatoires est personnalisée et déterminée par les besoins du patient, sa disponibilité et celle de son thérapeute, la nature et le coût du programme ambulatoire, les exigences du patient et ses autres engagements. Il n'existe pas de fréquence idéale. Toutefois, les visites se raréfient en général avec le temps. Elles peuvent commencer au centre de jour, où le patient est attendu chaque jour pour une journée complète; plus tard, les visites peuvent être hebdomadaires, et éventuellement mensuelles ou même trimestrielles.

Traitements ambulatoires

Médication
Voir chapitre IV

«Remotivation»

Le meilleur traitement de l'apathie et de la perte d'intérêt est la «remotivation», c'est-à-dire l'ouverture sur la vie par des discussions, par l'examen des attitudes destructrices, ainsi que par des pressions non contraignantes et des récompenses accordées pour les risques pris et l'essai de nouvelles choses. L'équipe thérapeutique propose différentes ouvertures non menaçantes, qui tentent de réactiver d'anciens intérêts ou de restaurer d'anciens talents. Les résultats obtenus dans le travail de «remotivation» semblent généralement meilleurs quand les activités se déroulent en groupe, mais cela ne convient pas nécessairement à tous les patients.

Thérapies de rééducation à la vie quotidienne

Après la schizophrénie et l'hospitalisation, le patient doit surmonter de nombreuses difficultés et adopter de nouvelles attitudes ou stratégies de vie. Les types de thérapies suivants sont souvent utilisés dans le traitement ambulatoire, bien qu'ils ne soient pas toujours disponibles au même endroit, ni nécessairement utilisés simultanément:

1. le counselling ou la psychothérapie (de groupe ou individuelle);

2. l'information sur la schizophrénie, conjointement avec la mise au point de plans réalistes pour l'avenir;

3. une aide professionnelle destinée à résoudre les difficultés interpersonnelles (thérapie de couple, thérapie familiale, groupes de parents ou autres thérapies de groupe);

4. l'évaluation de l'orientation et de l'éducation, du counselling et du recyclage;

5. des thérapies sociales visant à mieux faire utiliser les temps libres, par les sports, la musique, la danse et l'artisanat (autant de manières de se ré-impliquer activement dans le monde);

6. l'enseignement de thérapies autonomes (c'est-à-dire de traitements que le patient fait par lui-même) comme l'affirmation de soi, les sessions de diététique et d'hygiène, les ateliers de budget et d'apprentissage des travaux domestiques et l'incitation à utiliser ces thérapies;

7. le maintien d'une liaison entre le thérapeute (ou le responsable du cas à la clinique communautaire) et certaines autres personnes ou agences importantes, comme la famille, le médecin de famille, l'infirmier communautaire, le conseiller du centre d'emploi, les employeurs, les ateliers protégés, les concierges, les responsables de foyer, les centres d'activités communautaires et les groupes d'entraide.

Rôle du médecin

La participation active d'un médecin est essentielle à tout programme destiné aux schizophrènes. La schizophrénie n'est pas uniquement un problème de mode de vie, c'est d'abord et avant tout une maladie. Cela ne signifie pas que les patients doivent être vus par des médecins et seulement des médecins, mais plutôt que les médecins doivent faire partie du programme. Certains médecins de famille sont très habiles à exercer ce rôle. En général, toutefois, on consulte les psychiatres de temps en temps, car ils bénéficient d'une formation à la fois médicale et psychiatrique.

Le choix de la médication et la détermination de la posologie sont des tâches spécialisées qui exigent une surveillance constante. Il est insuffissant de prescrire simplement une médication et d'en rester là: on doit fréquemment réévaluer la posologie et le type de médicaments. Les professionnels de la santé et le personnel paramédical acquièrent souvent, grâce à leur expérience, une grande habileté à ajuster la médication, même s'ils ne sont pas médecins. Cependant, cela ne se produit que dans les centres où des psychiatres sont à leur disposition pour consultation. Le prochain chapitre portera sur la médication; les problèmes liés à l'usage à long terme seront abordés à la page 72.

Thérapies de rééducation

Ces programmes doivent pouvoir contrecarrer l'apathie et l'isolement social causés par la schizophrénie. Deux éléments sont essentiels: le programme doit occuper la majeure partie de la journée du patient, et un nombre suffisant de soignants (y compris d'autres patients) doivent être présents, afin que le patient ne se sente pas seul avec son hancidap et que s'établisse une communauté dont les membres sont attachés l'un à l'autre.

Relations avec la communauté

Un programme ambulatoire pour schizophrènes doit être rattaché par un maximum de liens à la communauté dans laquelle le malade vit. Afin d'utiliser les agences le plus efficacement possible, lorsque leur concours s'avère nécessaire, l'équipe thérapeutique doit être en contact permanent avec la famille, les commissions scolaires, les services de santé (le médecin de famille, la clinique de l'hôpital, les dentistes, les diététiciens et les responsables des services de sport), les centres de réadaptation et d'emploi, les services sociaux, les services de logement, les travailleurs communautaires, les infirmiers communautaires, les policiers, les ergothérapeutes, les aides-ménagers, les bénévoles en santé mentale, les responsables des ateliers protégés et des programmes de retour progressif au travail et ceux des clubs sociaux et de loisirs pour anciens malades mentaux. Plus le personnel se familiarise avec les ressources disponibles dans le milieu, plus la transition sera facile pour le schizophrène en voie de rétablissement.

Qui consulter?

Il est logique qu'une seule personne, le thérapeute ou le conseiller principal, agisse comme coordonnateur de programme. Cette personne ne doit pas nécessairement être médecin; il est en effet parfois plus facile et plus satisfaisant de parler à un paraprofessionnel. Toutefois, d'autres thérapeutes s'impliquent selon les différentes phases du programme, et peuvent aider le patient à divers degrés. Cela dépend de leur compétence et des besoins du malade. Chacun des différents représentants des professionnels de la santé mentale ou du personnel paramédical peut agir comme thérapeute principal: ainsi, ce peut être l'infirmier, le travailleur social, le psychologue, l'éduca-

49

teur, l'ergothérapeute, le psychiatre ou, dans certaines régions, le médecin de famille. Le thérapeute principal doit être quelqu'un avec qui le patient se sente à l'aise pour parler et confier ses problèmes. Il n'est pas nécessaire qu'il soit expert en tout; il doit surtout se montrer assez compréhensif et être suffisamment renseigné, afin de pouvoir aiguiller le schizophrène et sa famille vers d'autres thérapeutes et d'autres programmes.

Lorsque le thérapeute principal change, le patient ambulatoire vit souvent une période difficile. Certains programmes comportent des étudiants en formation; cela implique donc un changement fréquent, lorsque les étudiants terminent leurs études. Les patients peuvent être ébranlés par ces changements répétés; en effet, dès qu'ils connaissent mieux leur thérapeute, celui-ci s'en va, et ils doivent recommencer avec un autre. Pour ceux que la séparation ne perturbe pas trop, il existe certains avantages à changer de thérapeute. Les nouveaux thérapeutes sont souvent enthousiastes, et leur optimisme est communicatif. En outre, le changement permet d'éviter le désespoir causé par une dépendance profonde, et le patient a ainsi la chance d'apprendre à établir de nouvelles relations.

Les programmes hospitaliers sont-ils les meilleurs?

Pas nécessairement; cela dépend des services disponibles dans le milieu.

Les hôpitaux comportent des avantages et des inconvénients, en tant que lieux de traitement pour les patients ambulatoires. Les personnes qui ont été hospitalisées considèrent souvent l'hôpital comme un endroit familier et sûr. En effet, une équipe pluridisciplinaire y est généralement présente; le personnel est familier avec les problèmes liés à la médication; on y trouve une pharmacie et l'équipement nécessaire pour effectuer les injections intramusculaires, quand elles s'imposent; il y a également une salle d'urgence pour les gens dont les problèmes surgissent en dehors des heures de travail, et le personnel peut généralement être consulté 24 heures sur 24. Si l'hospitalisation s'avère nécessaire, le patient peut être admis dans un endroit familier et rassurant pour lui.

Cependant, le fait d'aller à l'hôpital peut signifier qu'une personne est plus malade qu'en voie de guérison; y aller pour des traitements peut sembler plus grave que d'aller chez son médecin de famille ou dans une clinique communautaire. Les hôpitaux peuvent être devenus, pous certaines personnes, des endroits effrayants, associés à de mauvais souvenirs.

Les cliniques «dans le milieu» recréent souvent une atmosphère plus familiale, et, idéalement, sont situées dans des locaux plus spacieux que ceux des cliniques externes des hôpitaux. Elles s'intègrent souvent à des centres communautaires qui disposent de gymnases, de parcs et de salles de rencontres, à la disposition de tous. Certains centres comprennent en outre un atelier protégé ou une résidence «surveillée». Certains avantages de l'hôpital (disponibilité des médecins, équipement pour les injections, etc.) peuvent facilement être inclus dans les cliniques communautaires. Celles-ci peuvent alors fonctionner de façon indépendante, sans être soumises aux différentes tracasseries administratives des cliniques externes des hôpitaux.

Le traitement privé des schizophrènes constitue une partie importante des soins communautaires globaux. Le clinicien doit effectuer une sélection, car les patients trop perturbés ou ceux qui manquent de soutiens sociaux adéquats, tirent meilleur parti des soins en cliniques externe. Une bonne communication doit exister entre les cliniciens privés et les services hospitaliers, dans le but de faire face efficacement aux crises et d'organiser le suivi post-thérapeutique.

Le traitement de soutien doit-il se poursuivre indéfiniment?

Il doit se poursuivre, sous une forme ou sous une autre, bien que les modes de soutien varient d'un individu à l'autre.

Les victimes d'un grave problème de santé et les schizophrènes en constituent d'excellents exemples, devraient toujours avoir un accès facile et rapide à un secours sanitaire professionnel. Être en traitement ne signifie pas que la fréquence des rencontres doive être indéfiniment la même que ce qu'elle était dans les premières années après l'hospitalisation. Avec le temps, un simple contact téléphonique peut être suffisant. Un ancien patient doit toujours rester en contact avec quelqu'un qu'il puisse appeler en cas d'urgence. Si le thérapeute principal s'en va, le patient doit s'arranger pour être aiguillé vers une autre personne, même lorsque tous les symptômes de la maladie ont disparu depuis longtemps.

Comment reconnaître la réapparition de la maladie?

La maladie schizophrénique présente des signes précoces et des modalités de rechute caractéristiques.

Nombre de personnes signalent que le premier épisode de schizophrénie les a frappés sans avertissement, «à l'improviste». Toutefois, après ce premier épisode, ces gens ont été sensibilisés et sont plus à même de reconnaître les signes avant-coureurs, même si ces signes peuvent se développer lentement et sembler assez vagues. Chaque personne possède sa propre constellation de signes avant-coureurs. parmi les plus fréquents, signalons une diminution des facultés de concentration, une irritabilité accrue, des émotions incontrôlables, une conscience de soi aiguisée, de la difficulté à penser, une tendance à l'isolement, une méfiance accrue vis-à-vis des motivations d'autrui et de l'insomnie.

Il est très important de reconnaître ces signes avant-coureurs et de les relier à un facteur déclenchant. Le facteur déclenchant est très souvent une stimulation excessive, sous diverses formes, mais il peut également relever d'autres stress psychologiques (perte de soutien, déception, rejet) ou physiques (épuisement, fièvre, absorption d'alcool, toxicomanie). Des changements trop nombreux et trop rapides dans la vie d'une personne peuvent accélérer l'apparition d'un épisode aigu de la maladie. Il est préférable de bien espacer les changements importants dans la vie.

Comment contrôler un épisode aigu?

Le contrôle repose sur l'élimination du facteur déclenchant et sur l'augmentation de la médication.

Si elle est identifiée assez tôt, la progression de la maladie peut être arrêtée, par l'augmentation temporaire de la dose de médication et par le retrait momentané de la personne d'un milieu devenu trop stimulant pour elle. La personne atteinte de schizophrénie doit apprendre à éviter un trop fort degré de stimulation, qui entraîne l'apathie et l'absence d'initiative. Cet équilibre, difficile à atteindre, peut toutefois être appris. Quand les symptômes aigus apparaissent, cela signifie généralement que la pression professionnelle doit être mise en sourdine, que les relations interpersonnelles doivent être atténuées, que les attentes doivent être amoindries et que le rythme des activités doit être ralenti. Lorsqu'elles sont entreprises promptement, ces différentes mesures peuvent fréquemment éviter l'admission à l'hôpital. Bien sûr, ces mesures sont temporaires et seront abandonnées dès la fin de la crise.

Les vitamines sont-elles utiles?

Elles sont inutiles pour la schizophrénie. La plupart des médecins savent que, si l'alimentation est bonne, toute ingestion supplémentaire de vitamines est inutile. Le traitement par de fortes doses de vitamines (thérapie mégavitaminique) fut prétendument jugé efficace pour traiter la schizophrénie, mais des études bien contrôlées n'ont pas confirmé ces prétentions. Toutefois, il est évident que l'état de certaines personnes s'est amélioré grâce aux vitamines. Il se peut cependant que cette amélioration soit due aux neuroleptiques (voir les pages 62 à 67) qu'elles prenaient en même temps; il se peut également que leur maladie n'était pas la schizophrénie; il se peut encore que ces schizophrènes aient appartenu à la catégorie des 30 p. cent qui guérissent sans rechute. Par ailleurs, les efforts et la discipline nécessaires à un tel traitement, qui implique le respect quotidien d'une diète vitaminique bien équilibrée peuvent, en soi, être bénéfiques.

Des régimes spéciaux sont-ils nécessaires?

Une saine alimentation est nécessaire à la santé. Cela est aussi vrai pour la personne souffrant de schizophrénie que pour n'importe qui. L'apathie générale qui accompagne souvent la schizophrénie entraîne un manque d'intérêt pour tout, y compris pour l'alimentation. Si cela entraîne une alimentation insuffisante, la fatigue et le manque d'énergie peuvent augmenter. Ce problème surgit davantage chez les personnes vivant seules, chez qui la motivation nécessaire pour se préparer des repas complets fait défaut. Une alimentation bien équilibrée doit être conseillée, mais les régimes spéciaux sont inutiles. En fait, certaines diètes spéciales peuvent même être nuisibles, si les éléments essentiels d'une alimentation régulière font défaut. De nombreuses personnes préfèrent suivre un régime plutôt que de prendre des médicaments, et les régimes spéciaux pour la schizophrénie ont fréquemment trouvé un écho favorable dans la presse. Ces dernières années, certains ont même été présentés comme pouvant guérir la schizophrénie: diètes sans fibres, régimes à basse teneur en sucre, régimes liquides, régimes sans lait et jeûnes périodiques. Ces modes n'ont aucune valeur.

La médication utilisée pour la schizophrénie peut entraîner un gain de poids indésirable. Les jeûnes ou les médicaments qui suppriment l'appétit ne sont pas une bonne solution. Il faut consulter le médecin afin de trouver une meilleure façon de résoudre ce problème.

Les nouvelles thérapies sont-elles sûres?

Il vaut mieux poursuivre un traitement bien étudié et à l'efficacité prouvée, que de lui en préférer un nouveau, éventuellement fascinant, mais non vérifié expérimentalement. Comme il n'existe pas de «remède miracle» à la schizophrénie, des gens ont tendance à trop attendre des nouvelles découvertes annoncées par les médias. Ceci constitue une forme de pensée naïvement optimiste. Les nouvelles découvertes sont autant d'étapes vers la compréhension de la maladie, mais chacune ne constitue qu'une réponse partielle aux différents problèmes. Aller d'un médecin à l'autre, d'une ville à l'autre, à la recherche d'une «cure miracle» est une façon frustrante et inefficace de se soigner.

La psychothérapie est-elle utile?

Comme les facteurs psychologiques par eux-mêmes ne causent pas, autant qu'on le sache, la schizophrénie, il est peu probable qu'un traitement uniquement psychologique puisse la guérir. Toutefois, il est important de mieux se connaître, de comprendre la nature de ses problèmes, de reconnaître ses propres sentiments, d'explorer ses réactions et de s'organiser de façon réaliste. Une psychothérapie qui favorise tout cela est très utile au schizophrène. Elle ne vise pas à guérir, mais à développer la compréhension de soi et à identifier les situations du milieu qui peuvent déclencher une rechute.

La psychothérapie peut être menée à deux, en groupe ou en famille. Un certain type de psychothérapie peut être plus utile à un moment donné; un autre sera préférable à une autre époque. L'utilisation de la médication n'interdit pas le recours à la psychothérapie.

Quels sont les dangers de l'alcool et des drogues?

L'alcool et les drogues peuvent déclencher des épisodes de schizophrénie et leur usage devrait être prohibé. Certains médicaments contre le rhume, certains amaigrissants, ou même certaines gouttes nasales peuvent déclencher des épisodes de la maladie. Les patients devraient prendre garde aux effets des substances chimiques (y compris les aliments comme le café ou les épices) sur leurs propres symptômes. Certaines substances (l'alcool et la marijuana) exercent un effet immédiat de relaxation ressenti comme étant apaisant, mais elles peuvent avoir ultérieurement un effet dommageable de tendance à l'isolement.

Les groupes d'entraide sont-ils utiles?

Au cours de ces dernières années, certains patients ont mis sur pied des organisations de soutien mutuel qui ont aidé efficacement d'anciens patients à se réintégrer à la société. Plus récemment, on a assisté à la naissance de groupes préoccupés des droits des patients et qui ont considéré la psychiatrie du point de vue du «consommateur», prenant la profession en défaut. Comme pour d'autres maladies, il existe des points controversés dans le traitement de la schizophrénie et, même quand le meilleur traitement est prescrit, il n'est pas toujours appliqué de la façon la plus humaine possible. Il est fondamental que ceux qui travaillent en psychiatrie écoutent attentivement les critiques formulées par «les consommateurs de soins».

Naturellement, les gens qui ont personnellement l'impression d'avoir été maltraités sont les plus enclins à se joindre aux groupes de «droits des patients»; cela implique toutefois le danger que de tels groupes adoptent des positions radicales, condamnant une forme particulière de traitement de façon générale, alors que le traitement en question, tout en étant bon, peut avoir été mal utilisé dans certains cas. Par exemple, Judy Chamberlin a écrit un livre intitulé *On our own* qui a beaucoup à dire des associations de malades mentaux, mais qui rejette catégoriquement la médication: «ces drogues, appelées par euphémisme médication psychiatrique, sont données au patient dans le but avoué de changer ses pensées «malades»; on appelle cela un traitement!». Son livre est décrit comme étant une «attaque honnête et intelligente des atrocités psychiatriques» par le psychiatre Thomas Szasz, lequel rejette l'opinion généralement admise voulant que la schizophrénie soit une maladie du cerveau. On peut lui opposer le livre de Thérésa Spitzer, *Psychobat-*

tery, qui critique également la psychiatrie et les psychiatres, mais s'en prend à l'utilisation de la psychothérapie dans des cas où la médication aurait été indiquée. Ces deux livres apportent des points valables, dans la mesure où ils n'incitent pas à croire que toute médication ou toute psychothérapie doive être rejetée.

Idéalement, une relation mutuellement bénéfique devrait exister entre les groupes de «droits des patients» et les professionnels de la santé, relation qui devrait favoriser la faculté d'écouter et d'apprendre les uns des autres (on trouvera à l'annexe II une liste des groupes d'entraide).

Caractère confidentiel des renseignements

Aucun renseignement concernant un patient ne peut, légalement ou déontologiquement, être divulgué à un étranger à l'équipe thérapeutique, sans le consentement écrit de l'intéressé. Cette règle s'applique, même si la personne qui réclame le renseignement semble, de toute évidence, le faire pour le bien du patient. En d'autres mots, même si un avocat qui veut défendre son client demande un renseignement d'ordre médical pour prouver son innocence, on ne peut le lui fournir sans le consentement écrit du patient. Si la mère, le père ou l'épouse demande un renseignement qui pourrait faciliter un arrangement entre le patient et son foyer, on ne peut pas non plus le donner sans le consentement de l'intéressé. Souvent, le personnel des services de santé mentale semble distant et cachotier envers les parents, simplement parce qu'il est soucieux de ne révéler aucun renseignement confidentiel.

Les parents et le personnel doivent comprendre d'une part le besoin de savoir, et d'autre part le besoin de garantir la confidentialité d'un dossier.

Inversement, les parents veulent parfois révéler au personnel certains comportements du patient, mais ils veulent que cette information soit gardée secrète. Ils peuvent alors rencontrer des thérapeutes qui refusent d'entendre de tels renseignements confidentiels, parce qu'ils jugent inutile le fait de les connaître, à moins de pouvoir en discuter ouvertement avec le patient. Si le parent exige que le patient ignoré la source d'information, ce renseignement est alors peu utile. Les thérapeutes doivent par ailleurs comprendre que de nombreux parents ont besoin d'aide et de soutien pour faire face à ce problème. La meilleure façon d'agir, pour un parent, c'est d'accompagner le patient et de discuter avec le thérapeute du comportement perturbateur.

Accès au dossier médical

Seule l'équipe soignante a accès au dossier médical.

Personne d'autre ne peut consulter ce dossier sans le consentement écrit du patient. La seule exception concerne les chercheurs, à qui la permission peut être donnée d'étudier tous les gens admis à l'hôpital un certain jour, ceux qui ont fait l'objet d'un diagnostic commun ou ceux qui ont été traités avec une même médication. La recherche, qui vise à étendre les connaissances médicales, s'exerce généralement dans les hôpitaux universitaires; elle est toujours rigoureusement contrôlée par le comité d'éthique de l'hôpital ou de l'université. Toute information conservée dans un but de recherche est codifiée par numéro; le nom du patient n'apparaît pas dans les dossiers de recherche. Si les patients désirent consulter certaines parties de leur propre dossier, ils doivent en discuter avec leur médecin. Les règlements à ce sujet varient selon les pays, les états et les provinces.

Insatisfaction concernant le traitement ambulatoire

L'insatisfaction résulte généralement de l'une ou l'autre des causes suivantes: a) le patient ne s'améliore pas; b) il souffre d'effets secondaires dus à la médication; c) il perçoit un manque d'intérêt de la part de son thérapeute; d) le thérapeute n'est pas disponible à un moment critique; e) le thérapeute et le patient (ou un parent) ont des philosophies de traitement différentes.

Tous ces problèmes exigent une discussion avec le thérapeute. En général, on peut trouver des solutions satisfaisantes. Si, après discussion, l'impasse persiste, le patient ou sa famille sont en droit d'exiger une deuxième opinion ou un transfert à un autre thérapeute. Le médecin de famille peut bien souvent organiser ces négociations.

Lorsque le patient entreprend un traitement avec un nouveau thérapeute, il est important que ce dernier ait une idée la plus claire possible de l'évolution antérieure de la maladie. Autrement, il peut poser un diagnostic inexact et entreprendre un traitement inapproprié.

CHAPITRE IV

La médication

Introduction

Les victimes de schizophrénie et leurs familles trouvent parfois déroutante la profusion de médicaments utilisés pour lutter contre la schizophrénie. Ils trouvent difficile de déterminer l'effet de chacun d'eux.

Dans les précédents chapitres, chaque fois que nous faisions référence à «la médication», nous entendions les neuroleptiques qui sont des agents antischizophréniques. Chaque fois que nous mentionnions «être sous médication», «augmenter ou diminuer la médication» ou «arrêter la médication», nous faisions encore référence aux neuroleptiques.

D'autres types de médicaments sont également utilisés, de façon occasionnelle, dans le cours de la maladie: certains agents destinés à contrer les effets secondaires neuromusculaires des neuroleptiques, des hypnotiques, des tranquillisants mineurs, des sels de lithium, des anticonvulsivants, des antihistaminiques et des antidépresseurs. Nous les examinerons brièvement dans ce chapitre.

Neuroleptiques

Les neuroleptiques sont des médicaments (agents pharmacologiques) qui inversent les symptômes schizophréniques. On les appelait autrefois «tranquillisants majeurs», mais cette dénomination n'est plus tellement utilisée de nos jours, parce qu'elle donnait une idée fausse de la nature de ces agents. Certains d'entre eux «tranquillisent» effectivement, mais pas tous, et cet effet tranquillisant (ou sédatif) constitue un effet secondaire et non l'effet principal pour lesquels on les prescrit. L'effet tranquillisant caractérise davantage les tranquillisants mineurs comme le librium et le valium, lesquels ne sont *pas* apparentés chimiquement aux neuroleptiques et sont peu utilisés dans la schizophrénie, sauf dans certaines circonstances particulières.

On utilise couramment environ une vingtaine de neuroleptiques qui portent chacun plusieurs noms. Un de ces noms est celui officiellement approuvé (la Dénomination Commune Internationale); les autres sont des dénominations commerciales — chaque compagnie pharmaceutique baptisant à sa guise le médicament. Dans ce chapitre, nous utiliserons la dénomination officielle et seulement une ou deux des marques de commerce les plus populaires pour identifier chaque médicament. Parfois, la même composition chimique est mise sur le marché à un prix différent, par différentes compagnies pharmaceutiques: par exemple, un comprimé de 100 mg peut coûter un peu plus cher que deux comprimés de 50 mg. Il est sage d'évaluer le prix des comprimés en pharmacie et de discuter du coût et de tout autre aspect relatif à la médication avec son médecin traitant.

Les neuroleptiques proviennent de différentes structures chimiques et portent plusieurs noms différents. Cependant, tous agissent *de la même façon* sur la schizophrénie: ils réduisent tous la transmission d'une substance chimique cérébrale, la dopamine, qui véhicule les influx de certaines cellules spécifiques du cerveau à d'autres cellules cérébrales spécifiques. La baisse de la dopamine entraîne une réduction de la fréquence des hallucinations, des délires et de la pensée illogique. On ne sait pas exactement comment cela se produit, mais cela pourrait tenir à la nature des voies nerveuses contrôlées par la molécule de dopamine. Toutes les molécules de neuroleptiques peuvent prendre la forme de la molécule de dopamine; de cette façon elles «trompent» le récepteur de la dopamine, situé sur la surface de la cellule nerveuse et empêchent la dopamine de traverser et d'exciter la cellule. Les neuroleptiques sont efficaces contre la schizophrénie, mais ne sont pas utilisés dans la plupart des autres états psychiatriques, comme les dépressions, les phobies ou les anxiétés.

Bien que tous les neuroleptiques interfèrent avec la dopamine de la même façon, chacun possède en outre d'autres propriétés différentes. Ainsi, ils diffèrent par leurs effets sur les substances chimiques cérébrales autres que la dopamine.

La chlorpromazine (Largactil, Thorazine) affecte également la transmission de la noradrénaline, ce qui explique son effet sédatif.

La thioridazine (Mellaril) pertube la transmission de l'acétylcholine et provoque certains effets désagréables: vision embrouillée, bouche sèche et, chez l'homme, difficultés d'érection et d'éjaculation. L'interférence avec la transmission de l'acétylcholine peut toutefois s'avérer utile, étant donné que le cerveau maintient un équilibre entre la dopamine et l'acétylcholine. Lorsque l'une diminue, il se produit une prépondérance correspondante de l'autre. Ainsi, avec la plupart des neuroleptiques, la dopamine diminue et il se produit donc un accroissement correspondant d'acétylcholine. Cela peut provoquer des tremblements, de la raideur musculaire, des crampes musculaires et de l'agitation motrice. La thioridazine offre l'avantage de ne pas produire ces effets musculaires, parce qu'elle interfère autant avec l'acétylcholine qu'avec la dopamine, mais ses effets peuvent être dangereux, particulièrement chez les personnes âgées. La thioridazine doit être utilisée avec beaucoup de précautions, particulièrement lorsqu'elle est administrée à des doses relativement élevées. Ceci s'explique par le fait qu'elle ne se dissout pas dans les substances graisseuses à la surface de la cellule nerveuse où sont situés les récepteurs chimiques.

Les neuroleptiques comme la perphénazine (Triflafon, Trilifan), la trifluopérazine (Stélazine, Terfluzine), la fluphénazine (Moditen, Prolixin) et l'halopéridol (Haldol) se dissolvent facilement dans les graisses; par conséquent, les doses peuvent être très faibles. Deux milligrammes d'halopéridol exercent le même effet antischizophrénique que 100 mg de chlorpromazine ou de thioridazine. Les parents s'étonnent souvent qu'un individu doive prendre autant de milligrammes d'un médicament donné, alors qu'un autre en prend apparemment si peu. En fait, la personne recevant une faible dose prend probablement un médicament antischizophrénique plus puissant. Les patients se demandent souvent pourquoi ils subissent apparemment autant d'effets secondaires et pas les autres patients, pourquoi un individu semble s'améliorer si rapidement dès le début de la médication, alors qu'un autre met si longtemps à se rétablir. C'est parce que le type et la dose de médicaments sont adaptés à chaque individu.

Le type et la dose de neuroleptiques à laquelle une personne réagit dépend de plusieurs facteurs: taille, poids, degré d'activité, alimentation, état de santé général, autres médicaments administrés en même temps, vitesse de digestion, importance des réserves de graisses corporelles, etc. Il est assez difficile de prédire exactement à quel neuroleptique réagira une personne donnée. Souvent, le médecin choisit en se basant sur les types d'effets secondaires qu'il produit généralement. Autrement dit, si un patient a l'impression d'être attaqué et s'il lui faut rester sur ses gardes, le médecin évitera de prescrire un neuroleptique qui le fasse somnoler; sinon, il risque de se sentir sans défense, et sa crainte d'être attaqué peut paradoxalement augmenter. Si une personne a l'impression que son corps est contrôlé par des forces extérieures, le médecin évitera de lui prescrire un neuroleptique qui lui fasse éprouver de la rigidité ou de la paralysie, sinon, son impression d'être contrôlée risque d'augmenter.

Parfois, des médicaments à longue durée d'action ou des «préparations-dépôt» sont utilisés. Ce sont des neuroleptiques dont l'effet dure une ou plusieurs semaines. Ils sont administrés par injection dans un muscle profond. Le décanoate de fluphénazine («décanoate de Prolixin», «Modécate») est l'un des médicaments-dépôt le plus utilisé bien que, dans certains pays, on ait recours à plusieurs autres. Les avantages de ce traitement résident dans le fait qu'il court-circuite le tractus digestif; certaines personnes absorbant mal les médicaments, il est plus facile de les suivre, car elles n'ont pas à se fier à leur mémoire pour se rappeler de prendre leurs médicaments aux moments prescrits. Ce traitement est en outre moins onéreux. Il implique que le patient se rende une fois par semaine (parfois moins souvent) à la clinique pour recevoir son injection; une fois là, il peut participer aux autres activités de la clinique. Malgré tous ces avantages, certains médecins n'aiment pas prescrire des neuroleptiques-dépôt parce que cela fait de la prise de médicaments une expérience passive pour le patient. Toutes proportions gardées, il est préférable que le patient soit actif dans la prise de ses médicaments, qu'il en comprenne le fonctionnement et qu'il soit familiarisé avec les doses, les effets secondaires, les délais nécessaires avant qu'une réaction se manifeste, etc. Il vaut mieux finalement que le patient *participe* le plus possible au traitement.

Plusieurs parents sont préoccupés des effets secondaires à long terme des médicaments. Les neuroleptiques sont utilisés depuis maintenant près de trente ans; aussi est-il peu probable qu'on fasse de nouvelles découvertes concernant les effets secondaires dangereux à long terme. Certains effets secondaires à long terme existent effectivement. Plusieurs personnes, après l'utilisation de neuroleptiques pendant de nombreuses années, sont affectées d'une décoloration de la peau et de quelques dépôts opaques sur la cornée ou sur le cristallin de l'œil, lesquels, par ailleurs, ne nuisent pas à la vision. Certaines autres, après plusieurs années d'utilisation, sont affligées de tics et de crampes musculaires, particulièrement au niveau des muscles faciaux. Dans la plupart des cas, lorsque l'administration de neuroleptiques cesse, ces tics et ces crampes augmentent un peu pour disparaître par la suite. Cependant, chez certaines personnes, particulièrement les gens âgés, ils ne disparaissent pas, même lorsque la prise de neuroleptiques a cessé depuis quelque temps. La raison en est obscure. Les familles peuvent juger ces tics ennuyeux, bien que la plupart des patients ne semblent pas s'en apercevoir et les considèrent souvent comme bien peu de chose, s'ils ont pu s'assurer d'éviter la psychose. Ces tics et ces tremblements qui persistent après que la médication ait cessé constituent la *dyskinésie tardive,* ce qui signifie mouvements désordonnés d'apparition tardive.

Plusieurs parents demandent: «Quand la médication devrait-elle cesser?» Personne ne peut vraiment répondre à cette question. Certaines personnes, bien qu'elles continuent à être affligées de symptômes schizophréniques, peuvent arrêter de prendre leurs médicaments, sans que les symptômes s'aggravent. Cependant, d'autres peuvent n'avoir aucun symptôme et se sentir en parfaite santé, mais dès qu'ils arrêtent la prise de médicaments, ils subissent à nouveau un épisode intégral de schizophrénie. C'est pourquoi il est si difficile de décider quand il faut arrêter les neuroleptiques. De nombreux médecins favorisent une diminution progressive, accompagnée d'une observation minutieuse et du rapport détaillé que fournit le patient de ses sentiments subjectifs. Certains patients en arrivent à se connaître si bien qu'ils peuvent savoir quand les symptômes vont débuter et prendre alors, par eux-mêmes, plus de médicaments. Cependant, il faut plusieurs années pour se connaître ainsi et pour que cette automédication puisse être efficace. Certains médecins recommandent des interruptions périodiques de médication (quelques jours ou quelques semaines sans médicament), mais pour nombre de personnes, cela peut être hasardeux. Il est recommandé de suivre très fidèlement les conseils de son médecin à ce sujet et en ce qui concerne tous les autres aspects liés à la prise de médicaments.

Médicaments destinés à contrer les effets secondaires neuromusculaires (antiparkinsoniens)

Puisqu'il existe un équilibre, dans le cerveau, entre les neurotransmetteurs de la dopamine et ceux ce l'acétylcholine, l'utilisation des neuroleptiques (qui bloquent la dopamine) produit fréquemment une prépondérance correspondante de l'acétylcholine. Cela provoque un état qui ressemble à la maladie de Parkinson et qui est caractérisé par des tremblements, de la rigidité, de l'agitation, un visage sans expression et, parfois, des crampes musculaires. Ces effets secondaires sont généralement de courte durée et réversibles, grâce à l'addition d'agents «anticholinergiques», communément appelés antiparkinsoniens. Il en existe plusieurs. Les plus fréquemment prescrits sont la benzatropine (Cogentin) le trihexyphenidyl (Artane) et la procyclidine (Kémadrin). Ceux-ci ne sont pas prescrits pour contrer les symptômes de la schizophrénie, ni pour prévenir une rechute, mais bien pour anihiler les effets secondaires des neuroleptiques. Si le patient ne prend pas de neuroleptiques, il n'a pas besoin d'antiparkinsoniens. S'il prend encore des neuroleptiques, mais que les effets secondaires musculaires initiaux ont disparu, comme cela se produit généralement, l'administration d'antiparkinsoniens doit cesser. Par eux-mêmes, ces médicaments possèdent un potentiel toxique et ne sont pas dépourvus d'effets secondaires. Quand on arrête leur prise pour la première fois, il peut se produire une courte réaction de manque, faite de nausées et de vomissements, et qui disparaît en deux ou trois jours. Certains effets secondaires musculaires réagissent mieux à un type de médicaments, et certains à d'autres. Si le contrôle des effets secondaires n'est pas satisfaisant, il faut en avertir le médecin.

Hypnotiques

Comme bien d'autres personnes, les schizophrènes peuvent souffrir d'insomnie. Une bonne nuit de sommeil étant importante pour la victime de schizophrénie, certains médecins peuvent leur prescrire un somnifère. Puisque certains neuroleptiques sont sédatifs, une augmentation de la dose de neuroleptiques au coucher peut suffire. Dans d'autres circonstances, le psychiatre peut préférer prescrire des tranquillisants mineurs, des antihistaminiques, de l'hydrate de chloral ou d'autres somnifères. Il ne faut pas hésiter à poser quelque question que ce soit, concernant le choix d'un hypnotique particulier ou d'un somnifère, au médecin traitant.

Tranquillisants mineurs

Ils sont utilisés pour surmonter l'anxiété et sont parfois appelés anxiolytiques. Il en existe plusieurs: les benzodiazépines «Librium» et «Valium» sont les plus connues. Par contre, leur mécanisme d'action est mal connu. Une hypothèse propose qu'elles réduisent l'anxiété en augmentant la concentration dans le cerveau d'un neurotransmetteur apelé acide gamma-amino-butyrique (GABA). Si l'anxiété est sans aucun doute un phénomène universel, elle est particulièrement éprouvante pour les schizophrènes, et le psychiatre peut souhaiter la réduire. Les anxiolytiques sont efficaces à court terme, mais ils perdent généralement cette efficacité après quelques semaines; par conséquent, on ne les prescrit habituellement pas pour de longues périodes. Il peut cependant exister des exceptions à cette règle. Ces agents sont également des relaxants musculaires et des anticonvulsivants. Ils sont parfois utilisés pour contrer les effets secondaires musculaires des neuroleptiques.

Sels de lithium

Le lithium («Lithane», «Carbolith») est utilisé comme régulateur de l'humeur. Les sautes d'humeur ne constituent généralement pas le problème principal de la schizophrénie, mais elles pourraient s'y ajouter; le lithium peut alors être utilisé conjointement avec les neuroleptiques. Certaines personnes souffrant de schizophrénie ne réagissent pas aux neuroleptiques, mais répondent bien au lithium.

Anticonvulsivants

Les schizophrènes ne souffrent généralement pas de crises convulsives, mais certaines personnes sont victimes d'une forme combinée de schizophrénie et d'épilepsie. Pour elles, les neuroleptiques peuvent être prescrits en même temps que des anticonvulsivants. Le plus fréquemment utilisé est la phénytoïne («Dilantin»). Quelques rares personnes souffrant de schizophrénie ne réagissent pas aux neuroleptiques, mais elles sont soulagées par un anticonvulsivant.

Antihistaminiques

Ce sont des médicaments anti-allergiques, vaguement apparentés aux neuroleptiques par leur structure chimique. Ils s'avèrent souvent efficaces contre certains effets secondaires musculaires des neuroleptiques et peuvent être utilisés à cette fin. La chlorphéniramine («Chlor-tripolon») la diphénhydramine («Bénadryl») et la prométhazine («Phénergan») sont les plus fréquemment utilisés. Ils sont également sédatifs, et peuvent alors être prescrits à la place des hypnotiques réguliers. Parfois, ils sont prescrits aux individus souffrant d'allergie, conjointement avec les neuroleptiques.

Antidépresseurs

Il existe plusieurs types d'antidépresseurs. Les plus utilisés sont dits tricycliques, parce que leur structure chimique se compose de trois cycles. On pense qu'ils exercent leur action en contrôlant deux substances chimiques cérébrales appelées noradrénaline et sérotonine. Les plus connus sont l'imipramine («Tofranil») et l'amitriptyline («Elavil»). Ils sont utilisés contre la dépression et peuvent servir, en cas de schizophrénie, quand une dépression secondaire est présente. Ils exercent leurs propres effets secondaires qui peuvent s'ajouter à ceux des neuroleptiques et des antiparkinsoniens; c'est pourquoi les doses de ces trois médicaments doivent être soigneusement déterminées. Les antidépresseurs n'agissent qu'au bout d'une période de dix jours à trois semaines; on ne peut donc pas s'attendre à ce que les symptômes dépressifs s'améliorent immédiatement. Les doses doivent souvent être augmentées graduellement, par étapes, avant que les effets maximaux ne soient obtenus. Parfois, il faut essayer de deux à trois différents antidépresseurs, avant de trouver le bon.

Autres médicaments

D'autres médicaments sont parfois utilisés pour certaines personnes présentant des difficultés particulières et, bien sûr, de nouveaux agents sont continuellement expérimentés. Le patient ne doit pas hésiter à demander à son médecin de lui expliquer l'utilisation de toute médication qui ne lui est pas familière. Les amphétamines et autres substances utilisées comme amaigrissants ne sont pas recommandées pour les schizophrènes, car elles peuvent déclencher des symptômes de psychose. Il est important de s'assurer que tous les médecins traitants sachent, sans exception, quels médicaments un patient reçoit: médicaments prescrits et médicaments obtenus sans prescription. Ces derniers comprennent: les aspirines, les gouttes pour le nez, les gouttes pour les yeux, la pilule contraceptive, les injections contre l'allergie, les vitamines et certaines substances chimiques, comme la caféine (qu'on retrouve dans le café, le thé, le chocolat et le coca-cola), l'alcool, la marijuana et la nicotine. Les médicaments, particulièrement lorsqu'ils sont pris en combinaison avec d'autres substances chimiques, peuvent entraîner la somnolence, de telle sorte que la conduite d'un véhicule automobile ou la proximité de machines dangereuses doivent être évitées, jusqu'à ce que l'effet du médicament soit bien établi.

CHAPITRE V

Comment les parents peuvent aider

Introduction

Les parents veulent habituellement aider le malade, mais ils se sentent impuissants, car ils ne savent pas très bien comment. Divers professionnels leur donnent bien souvent des avis contradictoires. Lorsqu'ils s'impliquent, on leur dit qu'ils s'impliquent trop; lorsqu'ils reculent, on leur dit qu'ils ne sont pas intéressés. En fait, il n'existe aucune solution parfaite. Une solution donnée peut être efficace avec une personne, à un moment donné, et ne pas l'être avec une autre personne, ou éventuellement avec la même personne à un autre moment. Ce qui suit comporte plus de conseils que d'avis infaillibles. Essayez une méthode, donnez-lui le temps d'agir et voyez ce qui se produit. Si cela semble fonctionner, continuez à l'appliquer. S'il semble que le conseil ne fonctionne pas, essayez-en un autre. Parlez aux thérapeutes de votre parent; ils peuvent vous faire de bonnes suggestions. Avant tout, n'abandonnez pas: après plusieurs essais et erreurs, vous trouverez éventuellement une solution efficace.

Lorsqu'une personne semble troublée

En général, les parents n'ont aucune idée de ce qui ne va pas, lorsqu'un membre de leur famille souffre de schizophrénie pour la première fois. Si la personne vit à la maison, les membres de la famille peuvent avoir remarqué certains comportements étranges. Ne sachant pas comment expliquer ces comportements ils peuvent les attribuer à une «mauvaise passe», semblable à celles qu'eux-mêmes ou d'autres membres de la famille ont déjà traversées par le passé. Si le comportement continue d'être foncièrement bizarre, la famille peut se demander si cela ne résulte pas de mauvaises fréquentations, de l'alcool ou de la drogue. Toutes sortes d'explications sont alors avancées, la possibilité d'une maladie étant habituellement envisagée en dernier ressort.

À ce stade, lorsqu'un comportement inexpliqué transforme un être aimé en un étranger, la première chose à laquelle la famille peut éventuellement penser risque d'être la maladie mentale. Les renseignements concernant les différentes maladies mentales peuvent être obtenus par des livres, des associations de santé mentale, des médecins de famille, des psychiatres et des hôpitaux psychiatriques. Une fois la maladie mentale envisagée, un certain nombre d'étapes sont nécessaires.

La famille doit consentir beaucoup d'efforts pour parler avec l'individu concerné et lui demander ce qu'il pense de ce qui est en train de lui arriver. Celui-ci peut être encore plus soucieux et effrayé que sa famille, car il peut avoir déjà noté que quelque chose de très compliqué se produisait dans son esprit, dans ses émotions et même, selon lui, dans le monde en général.

La famille devrait alors l'encourager à consulter son médecin de famille. Les problèmes généraux de santé peuvent parfois provoquer l'apparition de symptômes psychiatriques. Par exemple, les atteintes de la glande thyroïde ou des glandes surrénales entraînent souvent des troubles émotionnels. Un examen médical complet est donc toujours indiqué.

La famille doit avoir un long et sérieux entretien avec le médecin à propos du diagnostic le plus probable. Le médecin n'est parfois pas certain du diagnostic et suggère une consultation chez un psychiatre. Cela n'est pas aussi effrayant qu'il peut sembler au départ. Le psychiatre peut soit confirmer à la famille que ce n'est pas de la schizophrénie, soit diagnostiquer une forme légère de la maladie, qui peut alors être traitée en clinique externe.

La schizophrénie étant une maladie potentiellement sérieuse, le diagnostic ne doit pas être posé à la légère. Les personnes concernées doivent par conséquent s'assurer qu'il est exact. Une certaine période d'hospitalisation peut être essentielle pour en arriver à un diagnostic précis. Lorsque le malade est hospitalisé, il entre en contact avec plusieurs personnes et se trouve confronté à de nombreux problèmes; c'est alors qu'il se révèle plus aisément à ceux qui l'entourent, surtout à son médecin et à ses infirmiers. Cela constitue une évaluation intensive qu'il est difficile de réaliser sur une base externe. Il est fort probable que le malade ne veuille pas être admis à l'hôpital. La famille peut être alors d'un grand secours, si elle est bien informée des routines hospitalières; elle peut rassurer et constamment aider le malade face à sa décision (voir chapitre II sur les traitements hospitaliers).

Lorsque le malade est à l'hôpital

Les visites régulières sont généralement appréciées et la plupart des services de psychiatrie octroient des heures de visites de manière assez libérale. Bien sûr, les visites peuvent être interdites pendant les rencontres entre malades, pendant les heures destinées à la thérapie ou aux repas. Le personnel hospitalier informe le malade et sa famille des vêtements et articles divers dont il peut avoir besoin au cours de son séjour à l'hôpital. Les parents étant bien souvent les seules personnes pouvant fournir des renseignements importants sur ce qui a déclenché les symptômes, leur témoignage est capital pour le diagnostic. Le malade a souvent trop peur et il est trop perturbé pour fournir une histoire cohérente. Le personnel hospitalier demande aux parents de donner leur version des événements récents afin de compléter l'histoire du malade. L'exemple suivant montre combien il est essentiel, pour le personnel qui travaille en psychiatrie, d'avoir une entrevue avec la famille.

Le malade est un émigrant portugais âgé de 20 ans. Il a été hospitalisé en état de panique et il était difficile d'obtenir son histoire. Le personnel put finalement apprendre qu'il avait quitté récemment sa petite amie et qu'il entendait des voix, dans sa tête, lui dire qu'il était homosexuel. Les voix lui suggéraient de rencontrer un médium qui lui procurerait une potion magique susceptible de le guérir. Il a effectivement suivi les instructions: il a consulté un médium mais il a manqué d'argent pour payer le montant exigé. À cause de cela, selon lui, le médium l'a menacé de le suivre et de le tuer. L'histoire semblait si bizarre et incompréhensible, et le malade semblait si effrayé et si perturbé qu'un diagnostic probable de schizophrénie fut posé. Les hallucinations auditives semblaient d'ailleurs confirmer le diagnostic.

Lorsque la famille fut interviewée, avec l'aide d'un interprète, elle fournit des détails très utiles. Apparemment, selon les membres de sa famille, le fils broyait du noir depuis des mois, après que sa jeune amie l'eut rejeté. Il n'était plus intéressé par les autres filles, de telle sorte que ses frères et sœurs, pour tenter de le sortir de cette mélancolie, commencèrent à le taquiner en lui disant qu'il était homosexuel. Il est, semble-t-il, fréquent chez les porugais de taquiner quelqu'un à ce sujet; mais ce jeune homme fut particulièrement sensible à ces critiques, parce qu'il était plutôt petit et qu'il avait toujours cru avoir une apparence efféminée. En outre, chez les portugais, il est habituel de consulter des médiums pour obtenir des potions spéciales, dès l'apparition du moindre bobo. La mère elle-même avait été traitée par un médium pour ses rhumatismes. Il est également vrai que les médiums exigent souvent des sommes d'argent importantes, surtout s'ils pensent que le problème est tellement embarrassant pour le malade que celui-ci n'hésitera pas à payer. Par ailleurs, il semblait fort probable qu'il y ait eu des menaces de revanche. En d'autres termes, toutes les peurs du malade semblaient fondées dans ce contexte. Ses comportements et ses émotions ne semblaient donc plus être liées au diagnostic de schizophrénie. En fait, il guérit très rapidement, surtout après la visite de son ancienne petite amie.

Lorsque le patient quitte l'hôpital

Lorsque le diagnostic de schizophrénie est posé le malade et sa famille peuvent se sentir abattus et impuissants. Il est important que tous ceux qui sont concernés réalisent que, même s'il existe des implications sérieuses, le fonctionnement quotidien ne doit pas être handicapé par la schizophrénie. On ne parle pas habituellement de «guérison» de la schizophrénie, puisque les symptômes réapparaissent ou peuvent réapparaître; on parle plutôt de «guérison sociale», ce qui signifie un bon fonctionnement du sujet, dans tous les domaines de la vie (éducation, travail, loisirs et relations interpersonnelles), aussi longtemps que le traitement est maintenu. Dans ce sens, la schizophrénie n'est pas différente de plusieurs autres états pathologiques, comme le diabète, l'asthme, l'arthrite, etc. Lorsque ces maladies frappent les jeunes adultes, au début, elles perturbent plusieurs secteurs du fonctionnement normal. Avec un traitement adéquat et ininterrompu, la victime de schizophrénie peut habituellement poursuivre sa vie comme auparavant. Dans certains cas, la guérison peut cependant être lente et, chez quelques rares malades, incomplète.

Lorsque la guérison est incomplète, il est parfois difficile, pour l'individu et pour sa famille, d'accepter ce handicap. Au début, il paraît difficile d'abandonner des plans et des espérances pour l'avenir: par exemple, l'étudiant peut avoir à quitter l'université; le mariage et la famille peuvent devenir irréalistes. L'objectif est d'atteindre l'autonomie de l'individu, et cela peut impliquer un changement complet des aspirations antérieures.

Pour un parent, le plus important est de laisser entendre au malade qu'il existe un avenir pour lui, et que lui, parent, considère cet avenir comme encourageant, même s'il est différent de ce qui avait été prévu.

Ce message peut être transmis de plusieurs façons. Parler au malade et s'intéresser à ce qu'il fait, fait partie de son traitement: il faut s'enthousiasmer sur ce qu'il fait, même si, au début, cela peut sembler ennuyeux et fastidieux; il ne faut pas que l'enthousiasme s'altère, à cause de «normes» qui différencient le travail futile et le travail rémunérateur. Il est très important que le schizophrène maîtrise d'abord des tâches routinières, faciles à exécuter et qui n'accroissent pas son stress.

Doit-on stimuler un schizophrène?

Avant même de pouvoir être fonctionnel sur le plan du travail, l'individu doit devenir autonome du point de vue hygiène, alimentation et habillement. En attendant, les parents peuvent l'aider, en l'encourageant à maîtriser ces soins personnels. La manière de stimuler le malade dépend du stade de la maladie et de ce qu'on veut faire accomplir au schizophrène.

Lorsque la guérison sociale complète est obtenue et que l'état est stable, le schizophrène doit être considéré comme tous les autres membres de la famille. On doit s'attendre à ce qu'il s'assume entièrement et prenne part aux travaux domestiques, au même titre que les autres. Lorsqu'il est évident que la maladie persiste, la famille doit décider de ce qui est plus important et de ce qui l'est moins. Par exemple, si le sujet continue à montrer plusieurs symptômes de schizophrénie, il est plus important de vérifier qu'il prend sa médication régulièrement que de l'encourager à faire son lit; faire en sorte que le sujet aille à ses rendez-vous pour son traitement doit passer avant les visites à ses amis. Parfois, dans leur désir de retrouver la normale le plus rapidement possible, les parents s'attendent à trop, et trop tôt. Il est plus efficace de décider de ce qui est crucial et de s'assurer que cela soit exécuté; le reste peut attendre.

La période la plus difficile, pour décider s'il faut stimuler le patient ou non, survient quand le sujet se trouve entre deux étapes, c'est-à-dire quand il est beaucoup mieux qu'il n'était, mais moins bien qu'il devrait. Pour commencer, il vaut mieux s'attendre à ce qu'il n'effectue que les travaux qu'il aime; cela garantit le succès et les petites réussites augmentent la satisfaction et la valorisation de soi; par conséquent, les travaux domestiques qu'il n'aime pas peuvent être laissés momentanément de côté.

Il est préférable que tous les membres de la famille soient d'accord avec cette approche; ainsi l'envie et la jalousie risquent moins de se manifester. Si le membre schizophrène de la famille préfère sortir les poubelles plutôt que de laver la vaisselle, il vaut mieux ne pas le pousser à laver la vaisselle mais plutôt l'encourager à sortir plus souvent les poubelles. Lorsqu'il ne trouve plus d'activités agréables à réaliser, l'étape suivante consiste à lui faire accomplir de simples tâches de routine. Le schizophrène convalescent est souvent trop préoccupé pour penser seul à faire certaines choses. Si on lui fournit une liste d'instructions compliquées, cela ne fonctionne pas; il vaut mieux lui demander de faire une seule chose et, lorsque celle-ci est réalisée, lui donner de nouvelles instructions. La routine, en termes de temps, de lieu et de personne est plus facile que ce qui change constamment. On ne doit pas hésiter à demander au malade et à son thérapeute si les exigences sont adéquates ou si on en demande trop, ou trop peu.

Quand doit-on laisser le schizophrène convalescent seul à la maison?

Par moments, les membres de la famille peuvent avoir besoin d'un répit, surtout si la situation familiale est tendue et stressante. Les individus qui souffrent de schizophrénie peuvent vivre douloureusement le départ temporaire d'un être aimé; ce n'est pas une raison pour que tout le monde demeure constamment à la maison.

Le bon sens suggère qu'il est important de rester à la maison, lorsque le schizophrène est malade et incapable de prendre soin de lui-même. Par contre, quand il est «bien» et stable, rien n'interdit de sortir le soir, de faire des sorties pendant les week-ends ou même de partir plus longtemps. Le moment le plus difficile pour décider de cela se situe lorsque le convalescent n'est plus aussi malade qu'il l'était, sans être encore redevenu tout à fait lui-même. Dans de nombreux cas, les parents demeurent à la maison parce qu'ils se sentent coupables de laisser leur enfant se débrouiller seul. Il est beaucoup plus sage de préparer le sujet longtemps à l'avance et de prévoir les arrangements nécessaires pour lui assurer une supervision adéquate (informer les parents, les voisins et le thérapeute) avant de partir en vacances. Cette séparation sera bonne pour les parents et pour le schizophrène dans sa poursuite de l'autonomie.

Si le schizophrène convalescent veut lui-même prendre des vacances à l'extérieur, que faut-il faire? Ce défi est générateur d'anxiété chez les membres de la famille. Le mieux est encore de le laisser aller, de tenter de l'aider à faire des projets réalistes et à prévoir des variantes, au cas où le projet initial ne fonctionne pas. Il faut l'épauler, peu importe le résultat du voyage. Devenir autonome implique des essais et des erreurs; les erreurs ne peuvent pas être toujours évitées; elles sont même essentielles au succès.

Il faut s'assurer que le malade prenne une quantité suffisante de médicaments pendant son voyage. Pour une longue absence, il peut être utile de lui remettre une lettre du médecin traitant, indiquant le médicament et les doses. S'il voyage dans les pays chauds, le malade doit emporter une crème solaire qui contienne de l'acide para-amino-benzoïque (PABA) et protège adéquatement la peau sensibilisée par la médication neuroleptique contre les rayons ultraviolets. Un chapeau à larges bords est également très utile.

Le schizophrène doit-il avoir une vie sociale?

Lorsque l'occasion se présente de socialiser, le schizophrène doit décider seul de ce qu'il préfère. L'ambivalence du schizophrène pose un problème de taille aux parents. Fréquemment, le schizophrène est incapable de se faire une idée exacte de ce qu'il préfère; lorsqu'on lui demande ce qu'il veut faire, il dit souvent une chose, et en fait une autre. Cela peut engendrer le découragement chez les parents. Il importe de garder à l'esprit que le schizophrène ne fait pas cela délibérément et qu'il est effectivement incapable de se décider. Si cela survient, la famille doit décider pour lui. Par exemple, on peut jouer à pile ou face et insister sur le fait que la décision dépend du résultat de ce petit jeu; on peut également préconiser un vote pour tous les membres de la famille, et décider de respecter la décision de la majorité. Le malade est habituellement reconnaissant d'être aidé dans sa prise de décision, de façon non autoritaire et impartiale.

Parfois, le patient veut accompagner la famille en visite, mais les autres membres sont rarement disposés à l'amener, à cause de son comportement potentiellement embarrassant. Le sujet peut avoir peur de manger en public ou de rencontrer de nouvelles personnes; il peut être mal à l'aise ou prendre panique. Un tel comportement, socialement inacceptable, varie selon l'angoisse; plus la personne se sent en confiance, mieux elle se conduit. Il faut donc d'abord l'amener en visite chez des amis proches. Après la visite, il est bon de discuter avec elle des comportements socialement inacceptables qu'il a pu adopter, et essayer, ensemble, de voir comment ces comportements auraient pu être évités. L'expérience en vaut habituellement la peine. Des visites qui semblent de prime abord embarrassantes finissent souvent par être très agréables. Bien sûr, en certaines occasions, il est inopportun d'amener le malade: par exemple, un schizophrène qui a une peur incontrôlable de manger en public risque d'être un piètre convive à un banquet. Les droits des membres de la famille et leur besoin d'intimité doivent être également respectés.

À mesure que l'ex-patient reprend confiance en lui, on doit l'encourager à planifier ses propres loisirs. Le fait de revoir d'anciens amis peut être difficile, et ce pour plusieurs raisons. Souvent, en effet, une maladie sérieuse détruit une amitié jugée auparavant indéfectible. Les malades peuvent se sentir plus à l'aise, du moins au début, lorsqu'ils retrouvent des amis qu'ils ont rencontrés lors de leur séjour à l'hôpital, car ils partagent alors des expériences communes, ce qui rend la communication plus facile. Souvent, les parents n'approuvent pas ces relations avec des individus qui appartiennent parfois à une autre classe sociale. Il importe toutefois de savoir que l'amitié pose des problèmes aux schizophrènes, et que toute tentative de socialisation doit être encouragée.

Comment traiter le schizophrène

Lorsqu'une personne est «socialement guérie», elle doit être traitée comme tous les autres membres de la famille. Jusqu'alors, on a pu tolérer certaines particularités. Cependant, le schizophrène n'étant pas seul dans la famille, il n'est pas réaliste de lui accorder un traitement spécial; les besoins et les sentiments des autres membres de la famille doivent également être pris en considération. La «guérison sociale» peut prendre un certain temps; avant ce stade, on peut accorder une certaine préférence au schizophrène; par exemple, on peut le dispenser des travaux domestiques trop compliqués pour lui. Ce privilège peut frustrer les autres, particulièrement les frères et sœurs. Il faut par ailleurs informer les autres membres de la famille que, à mesure que le sujet s'améliore, on attend à nouveau de lui qu'il participe comme auparavant aux activités domestiques. Cette situation est celle de toutes les familles dont un des membres souffre d'un handicap (par exemple, une jambe cassée) a besoin d'un certain temps pour récupérer.

Il y a risque que le schizophrène prenne goût à son «statut préférentiel» vis-à-vis ce qui l'embête ou lui semble compliqué. Il peut alors décider que l'amélioration n'en vaut pas la peine. C'est une possibilité qui existe pour toutes les maladies, y compris les fractures. Certains parents redoutent trop cette possibilité, d'autres pas assez. Il importe de discuter de ce point avec l'individu concerné, son thérapeute et les autres membres de la famille.

Aide relative à la sexualité

Certaines familles sont plus ouvertes que d'autres à propos de sexualité. Des habitudes d'ouverture face à la sexualité constituent un avantage parce que le schizophrène est souvent très préoccupé par les questions sexuelles. Certaines de ces préoccupations, si elles se manifestent pendant la phase active de la maladie, peuvent devenir «psychotiques», c'est-à-dire irréelles et bizarres. Cela signifie que le malade peut donner des interprétations personnelles à certains mots ou à certains gestes; il peut également établir des rites sexuels ou commencer à parler de sexualité à des moments inappropriés. Comme tous les autres symptômes actifs de la schizophrénie, celui-ci doit être traité avec compréhension et patience, sans censure ni désapprobation.

Lors de la guérison, les questions sexuelles doivent être abordées de la même façon qu'avec les autres membres de la famille. Les fantaisies sexuelles appartiennent au domaine privé; toutefois, les parents peuvent trouver que le malade est plus enclin à discuter de son bagage fantasmatique que ne le sont les autres membres de la famille. Il est important de réaliser que les fantasmes et la réalité sont deux choses différentes, et que les fantasmes ne suivent pas les mêmes règles du bien et du mal que le comportement normal. Il faut que le malade fasse la différence entre la fantaisie et la réalité. Aux questions sensées sur la sexualité, il faut répondre avec tact et sensibilité; aux questions étranges, il faut répondre par des énoncés du genre «Je ne sais vraiment pas quoi te répondre à ce sujet, mais ton médecin pourrait le savoir». Toute question de signification possible des fantasmes sexuels doit être abordée avec l'individu et son thérapeute.

La masturbation, c'est-à-dire l'autostimulation sexuelle, ne doit jamais engendrer d'inquiétudes, à moins qu'elle se produise de façon excessive, ou dans des circonstances socialement inacceptables. La masturbation culpabilise parfois l'individu: il faut alors le rassurer. La masturbation peut résulter d'un manque d'activité hétérosexuelle. Cependant, l'inquiétude peut tenir plus à la crainte du malade concernant sa maîtrise de soi. C'est un souci commun à tous les schizophrènes: «Suis-je capable de me contrôler?» Une discussion autour de ces problèmes, sans jugement de valeurs, aide sans aucun doute; la notion de variation individuelle des besoins sexuels peut également être abordée de façon positive.

Après la guérison sociale, le schizophrène a besoin d'encouragements pour nouer des amitiés avec ceux qu'il choisit de façon autonome et responsable. L'intimité constitue, pour nombre de schizophrènes convalescents, un problème générateur de stress. Il est difficile, pour les parents, de voir leur fils ou leur fille, en période difficile, tenter de nouer des relations avec une personne qui peut sembler froide et insensible. Même si elles sont difficiles, ces relations sont nécessaires et bien souvent gratifiantes. Les parents peuvent se sentir écartés pendant les tentatives de relations avec l'autre sexe. Ils peuvent par contre, mais ceci n'est pas réaliste, penser que leur rôle est terminé, et que l'individu a noué des liens solides. La réalité est que celui-ci vivra fort probablement de nombreuses expériences, certaines couronnées de succès, d'autres suivies d'échecs, avant qu'une relation amoureuse satisfaisante s'épanouisse. Les parents peuvent faciliter cette expérimentation, en faisant preuve d'empathie et en informant sérieusement le malade sur ce qu'est une sexualité responsable: la contraception, l'éducation sexuelle, l'engagement envers une autre personne, etc.

Aide à un patient déprimé

Les symptômes de dépression ne doivent jamais être pris à la légère. Il faut en informer le médecin ou le thérapeute. Être déprimé signifie se sentir impuissant, désespéré. La culpabilité et l'autodépréciation font habituellement partie de ce syndrome, ainsi que l'insomnie, la nonchalance, la perte d'appétit et la perte de l'initiative. Bien souvent, tout cela s'accompagne de pensées suicidaires.

Il n'existe aucune réaction magique face à la dépression. Il faut tenter d'être présent, patient, et ne pas blâmer la personne d'être déprimée. Elle n'y peut rien; elle est parfois incapable de parler pour dire ce qui ne va pas. Attendre qu'elle le fasse ne sert à rien. Il faut plutôt s'asseoir avec elle en silence et tenter de dire et de faire des choses qui la fassent se sentir mieux dans sa peau (encourager l'exercice, préconiser une bonne alimentation, de bonnes habitudes de sommeil et une vie sociale,) sans se sentir frustré si le sujet refuse les suggestions. Il faut aussi prendre garde de ne pas se laisser entraîner à la dépression; le contact des déprimés est épuisant. Par bonheur, les dépressions cessent d'elles-mêmes et ne durent pas indéfiniment.

Aide à un patient coléreux

La plupart du temps, la colère est liée à la dépression, à la peur et à la tristesse. Il faut tenter de calmer les peurs du malade. La colère est souvent provoquée par des incertitudes ou des contradictions. Il faut donc être clair, explicite et prévisible, et ne pas réagir agressivement trop vite.

La colère étant un sentiment universel, les gestes agressifs sont les mêmes dans toutes sortes de situations. Les enfants naissent avec un fort potentiel de colère et le contrôle de la colère fait effectivement partie du processus de socialisation auquel chaque individu est soumis. Chaque être humain vit des conflits intérieurs et des situations extérieures qui font naître des sentiments de colère ou des fantasmes de comportement agressif.

La schizophrénie peut exercer une influence considérable sur la fréquence des agressions dans une famille. Certains schizophrènes ne se réfrènent plus lorsqu'ils sont victimes d'une psychose aiguë. Occasionnellement, les mères qui souffrent de schizophrénie peuvent perdre le contrôle au point de maltraiter ou de négliger leurs enfants. Au cours de la maladie, elles peuvent être soumises à un délire de nature paranoïde, qui inclut des idées de revanche contre d'autres ou un besoin irrationnel de défendre ses enfants contre une attaque imminente. Parfois, les malades ont des hallucinations auditives qui leur commandent de poser des gestes violents. On retrouve également des pensées répétitives reliées à l'agressivité, bien que celles-ci aboutissent rarement à l'action. En général, les poussées de colère reflètent la maladie. Le contrôle de l'agressivité est principalement médical. Le réconfort par des remarques apaisantes, un peu de nourriture ou l'occasion d'une certaine intimité, peuvent engendrer des attitudes plus calmes. En cas de besoin, on peut faire appel à la police pour conduire le malade chez un médecin, mais une fois le malade hospitalisé, c'est au médecin de traiter le trouble fondamental qui a déclenché le comportement violent.

On rencontre probablement plus souvent le problème de l'hostilité dans le cadre familial, lorsque le malade est déjà en voie de guérison. L'individu est parfois excessivement frustré par sa maladie, qu'il perçoit comme un handicap au déroulement de sa vie, et peut en tenir ses parents responsables. Les parents, l'épouse ou les autres membres de la famille, peuvent se sentir coupables à l'égard de la maladie et irrités par les contraintes que la maladie leur a imposées. Mais en même temps, le malade, lui aussi, se sent coupable et irrité. Il est fréquent de retrouver, dans de telles situations, la critique mutuelle et l'expression violente des émotions. Cela crée une atmosphère propice à l'agressivité: agressivité du malade envers les autres membres de la famille ou l'inverse. Si de tels épisodes se répètent, il faut alors vraiment envisager une séparation physique pendant un certain temps et consulter un spécialiste en counseling familial.

Aide en cas de problèmes légaux

Il arrive qu'un jugement amoindri ou une pensée psychotique poussent à des actions entraînant des poursuites légales; la plupart des problèmes légaux relèvent de la législation routière. Les usages varient d'une société à l'autre, mais les procureurs peuvent abandonner les poursuites ou alléger la sentence, s'ils sont directement contactés par les parents et que la nature de la maladie schizophrénique leur est expliquée, s'il s'avère que le malade suit un traitement psychiatrique, et s'ils sont convaincus que la famille est là pour aider efficacement le malade. Une évaluation psychiatrique récente, incluant le diagnostic, la gravité, le type de traitement et le pronostic, doit être fournie à l'avocat de la défense, en cas de procès.

Affronter la mort

La mort d'un parent ou d'un ami est une réalité à laquelle personne ne peut échapper. La victime de schizophrénie doit y faire face comme tout un chacun. Cet événement représente un stress important auquel on ne peut soustraire le schizophrène convalescent. On ne peut ni éviter, ni refuser la mort. Si possible, le malade devrait être préparé à cet événement par des discussions fréquentes avec la famille.

L'implication du schizophrène dans les circonstances qui entourent la mort doit être aussi complète que possible. Il doit pouvoir faire ses derniers adieux, au même titre que tous les autres proches. Au cours des périodes de stress familial important, comme une maladie ou un deuil, le schizophrène est souvent très fort. C'est un peu comme si la réalité, en ces instants, avait finalement marqué la conscience et surmonté les mystérieuses et effrayantes fantaisies qui surgissent si fréquemment.

Quand un parent de soutien décède

C'est là une inquiétude que les parents éprouvent fréquemment et qui constitue la meilleure raison d'encourager une vie indépendante pour l'ex-patient pendant que les proches peuvent encore aider. Peu de schizophrènes ne peuvent prendre soin d'eux-mêmes ni s'assumer lorsque leur maladie s'est stabilisée. En cas de décès d'un parent de soutien, ils peuvent être victimes d'une rechute momentanée, avec réadmission à l'hôpital si nécessaire. Le soutien ultérieur des autres parents suffit habituellement à combler le besoin. Lorsque cela est impossible, la vie en résidence spécialisée peut être la meilleure alternative.

Est-il mieux de vivre à la maison?

Les familles pensent parfois qu'il vaut mieux que leur parent vive à la maison, mais ce n'est pas toujours le cas. Les individus qui souffrent de schizophrénie vivent habituellement mieux dans un foyer, sans trop d'agitation ni trop de rigueur d'expression des sentiments. Cependant, les désaccords, les discussions et les querelles font partie de la vie de famille. Certaines familles tentent d'éviter les querelles pour donner l'impression que les désaccords ne surviennent jamais. Ce n'est pas une bonne politique car cette situation n'est pas claire pour le schizophrène qui ne comprend plus ce qui se passe. Par contre, les cris et les querelles l'effraient et peuvent provoquer une résurgence des symptômes, surtout si les critiques mineures se transforment en accusations exagérées (par exemple, si on lui demande de faire son lit, en prétendant exagérément qu'il «n'aide jamais ceux qu'il aime»). Parfois, la vie dans un foyer de pensionnaires ou dans un foyer de groupe pour ex-patients est plus calme et met en jeu moins de stress émotionnel. À long terme, cette alternative peut être bénéfique au schizophrène.

Il peut arriver qu'un ex-patient ne réussisse pas à vivre de façon autonome, mais qu'il refuse de déménager en foyer de pensionnaires ou en foyer protégé. Et pourtant, à la maison, il peut être invivable. Il est alors très difficile aux familles d'exiger du malade qu'il quitte la maison, bien que le fait de le garder à domicile puisse être désastreux pour lui et pour le reste de la famille. Il importe de se souvenir que la décision de ne pas garder le malade à la maison ne constitue pas nécessairement un abandon, et qu'il ne s'agit pas là d'un constat d'échec. Il peut arriver en fait que ce soit la décision la plus sage. Cependant, ces importantes décisions devraient toujours être prises en collaboration avec le thérapeute, de telle sorte que des solutions appropriées et des plans de «sauvetage» puissent être élaborés.

Quel degré de surveillance faut-il exercer?

Cela varie: le niveau de guérison sociale et le nombre de responsabilités que l'individu peut assumer dictent habituellement le degré et la nature de la surveillance requise.

Par exemple, une personne «socialement» guérie est fondamentalement capable de fonctionner seule. Le sujet doit bien sûr continuer son traitement, mais il peut prendre soin de lui-même et la famille n'a pas à vérifier constamment ce qu'il fait.

À certaines étapes de la maladie, cependant, la famille doit pouvoir vérifier que le malade suit effectivement ses séances thérapeutiques, n'oublie pas de prendre ses médicaments, se lève à temps le matin pour aller à l'école, ne se bat pas avec les autres membres de la famille, n'oublie pas de se raser et de prendre son bain, etc.

Un comportement imprévisible et des gestes impulsifs ne sont pas rares au cours de la schizophrénie. Par exemple, le schizophrène peut subitement quitter le domicile ou son travail, s'adonner à la boisson ou fumer de la marijuana, insulter un voisin ou inviter des étrangers à la maison, adopter des comportements sexuels irresponsables ou attenter à ses jours. Ces événements ne se produisent bien sûr pas tous les jours, mais ils peuvent survenir pendant les périodes difficiles. Il est impossible qu'un parent ou un ami prévoie et prévienne ces événements. Si un événement malencontreux se produit, il est inutile de culpabiliser qui que ce soit ou de penser rétrospectivement qu'une surveillance plus étroite aurait évité cette situation. On apprend souvent, les schizophrènes compris, à partir des erreurs. L'apprentissage par expérience constitue une part importante de l'acquisition de l'autonomie. Parler avec l'individu et son thérapeute du degré de surveillance requis aux différentes étapes de la maladie, constitue une bonne politique.

Qu'est-ce que la «surimplication»?

Lorsqu'un schizophrène est malade, il peut être incapable de participer aux discussions du thérapeute avec la famille. À ce moment, il est plus simple pour le thérapeute de ne parler qu'avec les parents. Lorsque le malade s'est suffisamment amélioré pour prendre part aux discussions, la plupart des médecins et thérapeutes préfèrent qu'il y participe. Idéalement, rien n'est dit au thérapeute qui ne puisse pas l'être en présence du malade. Si la famille a un entretien privé avec le thérapeute et demande que le contenu de la conversation soit gardé secret, cela place le thérapeute dans une position très délicate. Les thérapeutes enregistrent les choses urgentes qu'on leur signale, mais ils informent le patient de ce qu'ils ont appris. Cela fait partie de la bonne entente entre malade et thérapeute.

La relation malade/thérapeute et le caractère confidentiel des renseignements sont également très importants. C'est pourquoi le thérapeute s'interdit de rapporter aux parents les détails intimes de la maladie et du traitement, sans la permission expresse du malade. C'est difficile à admettre pour bien des parents, surtout lorsqu'ils croient avoir certains détails urgents à communiquer. Si un thérapeute, pour quelque raison que ce soit, refuse de répondre à un appel téléphonique, il faut lui signaler par écrit tous les faits jugés importants à communiquer, et informer également le patient de cette démarche.

Le soutien de parents est très précieux pour le schizophrène. Par contre, il peut ne pas l'accepter et interpréter l'intérêt et le soutien comme une intrusion, une «ingérence dans ses affaires». Dans ce cas, il vaut mieux ne pas insister et se tenir prêt en cas de besoin, plutôt que de s'impliquer activement. Il faut aussi demander des conseils au thérapeute, puisqu'il s'agit d'un aspect très important du problème.

Argent

La plupart des schizophrènes peuvent contrôler leur propre budget. Au cours de périodes difficiles, il peut arriver qu'une autre personne veille à ses intérêts. Si le malade dépense tous ses biens de façon irraisonnée à cause de la maladie, le médecin peut délivrer un certificat d'«incompétence financière». Cela n'implique pas nécessairement l'hospitalisation du malade; ses affaires sont simplement confiées légalement à une autre partie, un curateur privé ou public. Ce droit de regard sur les finances du patient peut être de durée variable.

Les parents devraient consulter l'avocat de la famille pour tout ce qui concerne l'héritage qu'ils veulent laisser. Des héritages importants peuvent être placés et contrôlés; les intérêts sont alors remis mensuellement aux bénéficiaires handicapés. Il est sage de penser à l'avenir et rassurant de savoir que les membres handicapés d'une famille ne seront pas dans la misère, quoi qu'il advienne.

La schizophrénie est-elle un cas de divorce?

Si la maladie existait avant le mariage, le conjoint savait à quoi s'attendre; il accepte par conséquent mieux la situation et, bien souvent, est plus tolérant. Si la maladie survient après le mariage, elle est souvent plus difficile à accepter. Fréquemment, le schizophrène et sa famille blâment le conjoint, qui peut éprouver alors une culpabilité injustifiée. Lorsqu'il y a des enfants en bas âge, cela accroît le fardeau et la tension. Un schizophrène peut être incapable d'assumer son rôle de parent; le conjoint peut alors se sentir à la fois parent unique, soutien financier et infirmier. Cela peut engendrer beaucoup de rancœur et conduire au divorce. Toute relation amoureuse est difficile par moments, mais il est évident que la schizophrénie risque davantage d'engendrer des problèmes conjugaux importants.

Dans l'éventualité d'une séparation ou d'un divorce, il faut tenter d'établir clairement ce qui fait que la situation est devenue intolérable. Si c'est un comportement relié à la schizophrénie, ce comportement peut-il être éliminé par un traitement adéquat? Le comportement peut-il s'améliorer avec le temps? Il est utile d'éclaircir ces questions avec le conjoint et avec son thérapeute. Est-ce un problème financier? Est-ce un problème relié à la difficulté, pour le malade, de gagner sa vie? Est-ce que le problème réside dans sa difficulté d'être parent, amant ou soutien sur le plan émotif? Mis à part la maladie, quelle est la proportion du problème reliée à la personnalité du conjoint ou à l'interaction entre conjoints? Ce sont là des questions difficiles à éclaircir et qui exigent des discussions entre les conjoints, leurs familles et leurs amis, le thérapeute, un avocat et, éventuellement, un conseiller religieux. Il est préférable de parler avec des gens qui comprennent la schizophrénie.

Les schizophrènes peuvent-ils aider leurs parents?

Lorsqu'un individu reconnaît qu'il est sérieusement malade et que c'est à lui d'assumer la responsabilité de se soigner, le rôle des parents en est de beaucoup facilité. Le fait d'accepter une maladie n'est en général pas facile, et cela prend du temps. Lorsque cette étape est franchie, les parents peuvent se reposer. Lorsque l'ex-patient s'occupe par lui-même de son propre bien-être, il peut faire en sorte d'en apprendre le plus possible sur tous les aspects de la schizophrénie, et accepte le plan de traitement avec plus ou moins d'enthousiasme. À ce stade, il peut à son tour devenir une personne ressource pour ses proches. Le schizophrène a besoin de poser des questions sur sa maladie, de signaler tous ses symptômes, de parler librement avec son thérapeute de ses soucis et de ses inquiétudes, d'être tenu au courant des effets de sa médication et de s'enorgueillir de son regain de forces et de ses réalisations. Lorsqu'il a accepté l'entière responsabilité de se maintenir en bonne santé, les parents sont moins tendus et moins soucieux et, en retour, deviennent plus faciles à vivre.

Comment les parents et les amis doivent-ils réagir?

Les gens veulent habituellement aider ceux qui souffrent; ils cherchent donc les meilleurs moyens de réagir face à un ami ou à un parent schizophrène. Il n'est pas utile de rappeler que le «meilleur moyen» n'existe pas et que la tristesse, la colère, la honte et l'abandon sont souvent des façons naturelles de réagir en période de crise.

Ceci est vrai, quel que soit le type de crise. Au début, il est normal d'ignorer le problème, en espérant qu'il se dissipe de lui-même. Mais s'il persiste, la plupart des gens cherchent un bouc émissaire. En jetant le blâme sur soi-même ou sur les autres, sur Dieu ou sur les gouvernements, ils ont l'impression d'amoindrir le tourment.

Personne ne souhaite blâmer la victime. Cependant, le fait d'épargner le malade peut conduire à réprimer la rage et les déceptions qu'il cause et à les diriger éventuellement, de façon irréaliste, injuste et agressive, vers les autres. Bien que le malade ne soit pas, bien sûr, responsable du déclenchement de sa maladie, il doit, comme tout un chacun, assumer la responsabilité de son traitement et, finalement, de son amélioration.

Les familles et les amis constatent habituellement qu'après le choc initial et l'adaptation, ils en arrivent à répartir les responsabilités et les tâches. Certaines tâches impliquent le malade, d'autres les médecins et les agences, d'autres encore les parents. Certaines tâches sont correctement accomplies, d'autres échouent, et cela peut déclencher un cercle vicieux de frustrations et de déceptions.

Néanmoins, rien de ce qui concerne cette réaction n'est spécifique à la schizophrénie. Au cours de la vie, des crises de toutes sortes donnent naissance à des émotions confuses, mais elles fournissent également des occasions d'épanouissement. Il importe de réaliser que le stress et le chagrin réapparaîtront probablement, et que la plupart des parents pourront y faire face sans aucune aide professionnelle. Par contre, plusieurs personnes trouvent utile de confronter leurs émotions avec quelqu'un qui comprenne, par exemple, d'autres personnes vivant des situations similaires. Si les réactions émotives sont difficiles à supporter, il peut être utile de faire appel à un psychothérapeute. Plus le parent surmonte ses propres émotions, plus il peut aider le malade.

CHAPITRE VI

Soutien aux parents

Introduction

La schizophrénie engendre de nombreuses crises familiales et amicales. Comme dans toute crise, nombre de personnes et d'organismes peuvent apporter leur aide. Parfois, ils ne savent pas comment s'y prendre, mais essaient quand même et peuvent alors donner de mauvais conseils. En période de crise, il importe donc de choisir la bonne personne.

Aide en cas de rechute

Lorsque les symptômes disparaissent plus ou moins, on parle de rémission. Lorsqu'ils réapparaissent de façon importante, on parle alors de rechute. Les rechutes sont angoissantes, à la fois pour les schizophrènes et pour leurs parents, bien qu'elles le soient moins lorsqu'on peut les prévoir et s'y préparer. La schizophrénie, pour la plupart des malades, est un état voué aux rechutes; il est donc logique de s'attendre à un retour des symptômes et de faire en sorte de ne pas être pris au dépourvu.

Il est préférable de ne pas attendre que les symptômes prennent des proportions démesurées et d'agir assez tôt. Lorsque la personne commence à se conduire comme avant sa première maladie, il est temps de s'alarmer. On peut présumer qu'un comportement similaire implique des préoccupations, des soucis et des inquiétudes similaires. La première étape consiste donc à lui demander ce qui la préoccupe.

L'étape suivante consiste à lui suggérer d'en informer le psychiatre ou le thérapeute. Si le malade refuse, et si son état est inquiétant, il faut lui faire part des craintes que l'on éprouve et l'aviser que son thérapeute sera contacté.

Si le thérapeute n'est pas disponible, la meilleure personne à contacter est le médecin de famille. En cas d'urgence, celui-ci peut effectuer une visite à domicile. Il peut également évaluer la situation par téléphone et faire diverses recommandations, ou bien il peut contacter l'hôpital. Une infirmière visiteuse ou, dans certaines villes, une infirmière en psychiatrie, peut également effectuer une visite à domicile. Plus tôt on s'occupe de la situation, plus il y a de chances que le malade accepte de coopérer. La plupart des services d'urgence des hôpitaux sont ouverts 24 heures sur 24, sept jours par semaine.

Que faut-il faire si l'individu refuse d'être aidé?

Il faut d'abord tenter de trouver pourquoi il refuse l'aide. Il peut alléguer des raisons logiques ou illogiques. Parfois il a peur d'être hospitalisé ou de recevoir une forme de traitement qu'il n'aime pas, ou bien de rencontrer quelqu'un qu'il déteste. Il est parfois possible de l'assurer que tel ne sera pas le cas.

Souvent, l'individu s'est convaincu à tort qu'il n'éprouvera jamais plus les mêmes symptômes; la famille l'a d'ailleurs bien souvent entretenu dans cette croyance, également à tort. Lorsque les symptômes réapparaissent, il est donc tentant d'en nier l'existence. Lorsqu'on est préparé au pire, le pire semble souvent moins grave. Après un premier épisode de schizophrénie, il y a 70% de chances qu'un second épisode survienne moins d'un an plus tard si le patient n'est pas sous médication. Si le patient est sous médication, ce risque est réduit à 30%.

Grâce à un suivi thérapeutique régulier et à des interventions adéquates (comme l'augmentation temporaire de la dose des médicaments ou de la fréquence des rendez-vous), les hospitalisations ultérieures peuvent souvent être évitées. De temps en temps, il est sage de parler au malade de la possibilité de rechutes et de planifier avec lui les choses à faire si cela se produisait.

Souvent, lorsque le patient refuse obstinément de consulter son thérapeute ou nie que quelque chose ne vas pas, il peut n'y avoir qu'une ou deux personnes capables d'entrer vraiment en contact avec lui: parents, amis, employeurs, certains collègues, membre du clergé, ou occasionnellement, autres malades.

Qui peut aider?

Troubles graves

Si le malade est vraiment perturbé et s'il continue absolument à refuser l'aide psychiatrique, la famille peut alors avoir recours aux lois sur la protection du malade mental et voir ainsi ce qui peut être fait. Les lois sur la santé mentale varient cependant d'un état à l'autre, ou d'une province à l'autre. Les mesures suivantes peuvent également être adoptées.

1) Le médecin de famille ou le psychiatre traitant peuvent venir à domicile et, s'ils le jugent nécessaire,

légalement certifier que le patient est mentalement atteint et doit être hospitalisé. Dans certains milieux, le malade doit être conduit par les parents en consultation externe. En règle générale, l'hospitalisation involontaire ne peut avoir lieu que si, en plus de la maladie, il y a risque que le patient devienne dangereux, pour lui-même ou pour autrui. Cela signifie qu'il est en danger du point de vue nutrition, maladies physiques, etc.

2) Si le patient risque d'être dangereux pour lui-même ou pour les autres, il faut avertir la police de son comportement probable et des raisons qui l'expliquent. Certaines villes ont un corps d'«officiers communautaires» en civil, moins effrayant pour le malade et moins bouleversant pour la famille. La plupart de ces officiers spécialement entraînés (pas tous hélas!) sont très humains lorsqu'ils ont affaire à un malade mental.

3) À cause de leur manque d'habitude des responsabilités et des obligations à assumer dans ces circonstances, médecins ou policiers ne peuvent intervenir que de façon partielle. Cela est particulièrement vrai dans certaines communautés où les lois sur la santé mentale ont été modifiées et où personne ne connaît exactement les nouveaux règlements. On peut alors contacter l'hôpital psychiatrique local ou le ministère de la santé afin d'obtenir des renseignements sur les lois ou procédures qui permettent de conduire en toute sécurité le patient à l'hôpital. Dans certaines régions, le ministère de la santé publique peut déléguer au besoin une infirmière qui évalue la situation. Celle-ci peut éventuellement mieux persuader le malade de prendre la médication prescrite par le médecin. La plupart des lois sur la santé mentale ne permettent pas de traiter le patient ni de lui administrer des médicaments contre sa volonté, sauf dans des circonstances particulières. L'infirmière connaît bien souvent le médecin

ou l'officier de police à contacter pour remplir les formulaires légaux et pour escorter le malade à l'hôpital.

4) Dans les régions où les médecins sont rares, ou lorsque le médecin ne peut pas examiner le malade, on peut autoriser les parents à faire, devant un juge de paix ou un magistrat, une déposition sous serment dans laquelle ils affirment que le patient est gravement malade et qu'il fait encourir des risques, à lui-même et à autrui. Un ordre légal peut alors être transmis au poste de police, autorisant à conduire le malade au plus proche hôpital, pour évaluation de son état.

5) Certains services hospitaliers de psychiatrie ont des équipes spéciales qui peuvent se déplacer à domicile en cas d'urgence. Le personnel évalue l'état du malade et suggère un plan de traitement. Dans certains cas, on fait le nécessaire pour assurer une hospitalisation immédiate, même contre la volonté du patient, si on constate une maladie mentale grave, et s'il existe un danger éventuel. La législation sur la santé mentale varie d'un pays à l'autre, d'un état à un autre, d'une province à une autre. La loi autorise toujours les admissions volontaires et ordinaires à l'hôpital, réservant l'hospitalisation involontaire aux malades en danger qui refusent tout traitement.

La plupart des lois sur la santé mentale autorisent les policiers à conduire un individu à l'hôpital pour une évaluation psychiatrique de plusieurs jours, s'ils sont témoins de comportements bizarres ou dangereux, s'ils détiennent un certificat médical ou s'ils reçoivent un ordre légal. À la fin de la période d'évaluation, si les présomptions sont confirmées, l'individu peut être gardé plus longtemps à l'hôpital, contre sa volonté, si cela s'avère nécessaire.

6) Certaines familles arrivent à convaincre leur parent malade en groupe. Une telle démonstration de

solidarité et de force peut permettre à plusieurs membres de la famille d'obtenir le consentement du malade à recevoir un traitement. Les situations de crise permettent parfois, paradoxalement, de resserrer étroitement les liens familiaux, et de réaliser l'unité dans un but commun.

Violence

Des menaces de violence, ou la violence même, y compris les injures et les attaques contre les biens ou les personnes, peuvent se produire lorsque les schizophrènes sont agités, délirants et effrayés. Ces manifestations peuvent rendre l'atmosphère familiale intolérable. Seule une approche sans menaces est alors efficace. Il faut tenter de rester calme et d'éviter les discussions et répliques. Un environnement trop stimulant ne fait qu'aggraver les choses. Il vaut mieux rassurer le malade à propos de l'aide disponible. Parfois, les familles sont mal à l'aise d'impliquer d'autres personnes, mais la présence d'amis ou de voisins qui n'effraient pas le malade peut parfois désamorcer une situation difficile. Leur seule présence est souvent suffisante; ils n'ont besoin ni d'intervenir ni de s'impliquer directement avec le malade. Il est par contre essentiel que le malade ait la possibilité de bénéficier d'une certaine intimité. Si cela est nécessaire, on ne doit pas hésiter à demander l'assistance des policiers, en leur expliquant clairement le cas.

Repli sur soi

Il arrive souvent que le schizophrène devienne graduellement timide et ait tendance à se replier sur lui-même. Cela peut être très frustrant pour les parents qui préféreraient parfois déclencher une étincelle de colère plutôt que d'être confrontés, jour après jour, à un mur d'indifférence. Cela peut être embarrassant, vis-à-vis des autres, d'avoir une fille, un fils ou un époux caché dans sa chambre, ou qui évite de croiser leur regard, ou qui insiste pour que vous restiez toujours avec lui à la maison. Il est important de vous convaincre qu'une telle situation ne doit absolument pas gâcher votre vie ni celle des autres. Éviter les amis ou les voisins ne sert à rien. Plus ceux-ci connaissent le malade, plus ils se sentent à l'aise avec lui, et réciproquement. La vie du parent doit suivre son cours et le schizophrène s'adaptera graduellement à sa routine, son train de vie et à sa vie sociale et professionnelle. À long terme, on aide mieux le malade à surmonter son repli sur soi en ne capitulant pas devant ses exigences de protection constante. Pour la santé des deux, il est essentiel que le parent responsable ait une vie aussi pleine que possible.

Idées suicidaires

Certains schizophrènes peuvent devenir très déprimés. Ces changements d'humeur reflètent souvent une réaction bien compréhensible à la maladie. Les gens vulnérables peuvent craindre les rechutes et les échecs, ou culpabiliser à propos de leur maladie. Le taux de suicide signalé par la plupart des cliniques pour schizophrènes est considérablement plus élevé que celui de la population en général. Le suicide n'a pas habituellement lieu au début de la maladie, alors que l'individu ne se croit pas malade. Il ne se produit pas non plus lorsque l'individu s'améliore. Il est par contre plus fréquent entre ces deux étapes, lorsque la maladie est nouvelle et que le sujet ne l'a pas encore acceptée.

Les propos suicidaires, si vagues soient-ils, doivent être signalés immédiatement. La référence à la mort n'est pas toujours explicite, mais elle peut sous-tendre des énoncés pessimistes ou tristes comme: «Qu'est-ce que cela donne?» Il faut téléphoner au service d'urgence de l'hôpital, à n'importe quelle heure, et s'assurer que le thérapeute soit informé et qu'il voie le malade le plus tôt possible. De fréquents contacts personnels avec le thérapeute sont également utiles. L'hospitalisation peut éventuellement s'avérer nécessaire, des antidépresseurs peuvent être prescrits et les médicaments habituels remplacés par d'autres. L'encouragement des parents et des amis aide bien souvent le malade à surmonter sa déception et à moins se percevoir comme un fardeau pour tout le monde.

En cas de tentative de suicide, les parents doivent essayer de ne pas s'en sentir responsables. La victime de schizophrénie est sujette à de nombreuses idées imaginaires qui peuvent changer subitement. Le malade peut mal évaluer ou interpréter des événements environnants et être atteint de dépression aiguë. Le savoir permet de réduire les sentiments d'angoisse et de culpabilité. Lorsqu'une tragédie survient,il est humain de chercher un bouc émissaire: soi-même, le médecin, le thérapeute, les amis, etc. Le partage de la responsabilité aide les gens à survivre à la douleur et à la perte.

Équipe soignante

Il importe de maintenir un contact régulier avec l'équipe soignante. Dans la plupart des cas, les parents sont interviewés par un membre de l'équipe et, souvent, par le travailleur social. La collaboration de la famille (notamment au niveau des renseignements complémentaires) est essentielle au diagnostic, au traitement et à la planification à long terme du congé médical. Certains malades hospitalisés peuvent exiger que leurs parents ne soient pas contactés. Cela place l'équipe thérapeutique dans une situation difficile, parce que les désirs du malade doivent être respectés. Dans la plupart des cas, cependant, la famille est informée et consultée, avant que le congé soit accordé. Si la famille n'est pas contactée, elle doit prendre l'initiative du contact.

Dans les discussions avec l'équipe soignante, il ne faut pas hésiter à poser des questions directes, à remettre en question le diagnostic, le traitement, le pronostic, etc. Il ne faut pas craindre non plus de demander une seconde opinion, en cas de doute. Il ne faut pas se laisser décourager par la bureaucratie hospitalière, les longues attentes, les retards, les changements de personnel et les avis contradictoires. Ce dernier problème ne devrait pas exister, mais malheureusement, on le rencontre souvent. La plupart des membres du personnel hospitalier sont bien intentionnés, mais ils sont souvent très occupés et pas toujours au courant des dernières décisions de l'équipe. Il est inutile de se vexer lorsqu'on interdit momentanément les visites, parce que le malade est perturbé; il faut simplement garder le contact avec l'équipe thérapeutique.

Ressources communautaires

Les schizophrènes ont souvent affaire à plusieurs organismes communautaires. Ceux-ci sont décrits, du point de vue du malade, au chapitre III et aux annexes I et II. Nombre de ces organismes emploient des gens qui, parce qu'ils connaissent le malade, peuvent également être utiles aux parents. La société offre un grand nombre de programmes de réadaptation, comme les centres de jour, les services d'orientation, les services bénévoles et les groupes d'entraide. On trouve en outre les organismes de santé mentale, les infirmières de la santé publique, les ergothérapeutes, les travailleurs sociaux, les médecins de famille, les généralistes et les psychiatres. On ne doit pas hésiter à contacter la section locale de santé mentale pour obtenir plus de renseignements.

Le soutien aux familles prendra-t-il de l'ampleur?

La compréhension et le soutien aux familles des schizophrènes augmenteront probablement dans les prochaines années. Les professionnels de la santé mentale ont, depuis les dix dernières années, appris à comprendre et à évaluer le fardeau et la responsabilité des familles. Les groupes d'entraide mis sur pied par les parents, partout dans le monde, sont devenus plus populaires; ils ont en outre déjà formulé des recommandations importantes pour l'amélioration des soins (voir annexe II). Avec le temps, l'accent sera mis davantage sur les forces de la famille, forces qui contribuent à consolider l'unité familiale et qui permettent de préparer et d'aider chaque membre de la famille à faire face à la situation. Des efforts accrus pour éduquer le public sur la schizophrénie seront également fournis. La recherche indique clairement que les parents ne sont pas à blâmer; c'est une information qu'on doit répandre dans le grand public.

Un des résultats des programmes d'entraide sera l'accumulation des expériences des parents concernant ce qui fonctionne ou ne fonctionne pas dans les interactions quotidiennes avec les schizophrènes. Des efforts seront faits pour regrouper cette importante ressource naturelle (les parents) à l'intérieur d'organisations efficaces et politiquement fortes.

Des organisations comme l'Alliance nationale pour le malade mental (aux États-Unis), l'Association nationale pour la schizophrénie (au Royaume-Uni), et les Amis des schizophrènes (au Canada), prendront de plus en plus d'expansion. Ces associations sont essentielles pour aider à alléger le fardeau des familles, et pour mettre l'accent sur les déficiences actuelles de répartition des servides de santé mentale.

CHAPITRE VII

Le travail et l'école

Retour au travail ou à l'école

Il est possible de retourner à l'école ou au travail après un épisode de schizophrénie, bien que, pendant cette période, le degré d'attention et de concentration soit moindre qu'avant le début de la maladie.

Bien souvent, les ex-patients sont indécis au sujet de leur retour au travail, ou bien ils appréhendent leur retour à l'école parce qu'ils ont perdu un certain nombre de mois de scolarité. Ils manquent souvent de confiance dans leur aptitude à faire face à leur classe ou à leur travail. Toutefois, si le médecin, avec la permission du malade, a informé l'employeur ou le professeur des progrès du malade, cela peut aider celui-ci. Des évaluations du travail ou du rendement scolaire permettent de restaurer la confiance en soi. Certains centres de santé mentale emploient un professeur ou un conseiller en orientation professionnelle qui peut agir comme consultant. Le malade a par ailleurs la possibilité de s'entraîner au travail, avant même d'avoir obtenu son congé de l'hôpital. Une période temporaire en foyer protégé ou surveillé peut en outre être bénéfique.

De retour au travail ou à l'école, l'employé ou l'étudiant peut être compétent ou incompétent. Le diagnostic n'entre pas en ligne de compte, sauf lorsqu'il s'agit de mettre fin au traitement. Certains employeurs et professeurs, cependant, sont toujours un peu inquiets devant un diagnostic de schizophrénie. La plupart de leurs craintes viennent du fait qu'ils ignorent ce que ce terme veut dire. Nous souhaitons que ce livre puisse aider à dissiper le mystère. Les problèmes seront beaucoup moins un obstacle si l'employeur ou l'enseignant peuvent en discuter avec le thérapeute. Les problèmes scolaires et professionnels n'affectent pas tous les malades. Comme pour quiconque, un nouvel emploi, ou l'arrivée dans une nouvelle classe, constitue bien souvent une étape critique. Les employeurs et les enseignants peuvent aider en éclaircissant la situation dès le début.

Ponctualité

Plusieurs individus affectés de schizophrénie trouvent difficile de se lever le matin et d'affronter la journée à venir. La précipitation, les autobus bondés et la circulation dense, bien qu'ils soient des problèmes universels, les pertubent d'avance. Il en résulte que le malade est bien souvent en retard à son travail, le matin. Ces employés réussissent donc mieux dans des emplois à horaires flexibles. Ils préfèrent souvent travailler par tranches, et surtout à des heures où ils sont relativement seuls.

Passivité

Les employeurs et les professeurs se plaignent parfois du fait que le schizophrène fasse preuve de peu d'initiative, reçoive les instructions de façon passive, ou manifeste peu d'enthousiasme pour son emploi. Une partie de cette soi-disant passivité relève de l'anxiété et de la gêne. Lorsque l'individu se sent plus à l'aise, son intérêt réel commence à apparaître. De toute façon, tous les emplois ou toutes les études ne requièrent pas nécessairement de l'enthousiasme. L'application et l'honnêteté sont, de loin, plus importantes.

Absence au travail ou à l'école

Pour certains schizophrènes, les engagements à long terme sont effrayants. Ils peuvent être fortement tentés de quitter un nouvel emploi ou d'abandonner l'école et de ne jamais y revenir, à cause de leur peur et, parfois, de leur conviction que personne ne le remarquera de toute façon et que personne ne s'en préoccupera. C'est là un problème réel pour de nombreuses victimes de schizophrénie qui perdent ainsi plusieurs emplois potentiellement excellents. L'employeur ou le professeur compréhensif devrait téléphoner à la personne absente et lui faire part de son intérêt et de son inquiétude. Lorsque le malade est convaincu qu'il est important et que son travail à réellement de la valeur, le problème peut être surmonté.

Stress

Le schizophrène supporte particulièrement mal le stress. Des conditions de travail particulièrement stressantes, comportant des échéances, des évaluations constantes et de la compétition ne constituent vraisemblablement pas le meilleur type d'emploi pour ce genre de malades. Les schizophrènes ont tendance à considérer les gens comme étant plus stressants que les machines. Moins il y a de personnes autour d'eux, mieux cela vaut.

Instructions claires

Les schizophrènes ont de la difficulté à lire entre les lignes. Ils ont tendance à trop lire négativement entre les lignes et ils présument, lorsque le message n'est pas clair, qu'on les critique ou les écarte. Le message qu'on leur destine doit donc être très clair et les instructions simples et précises. Une seule instruction à la fois est plus facile à comprendre que plusieurs instructions données en même temps. Une fois la routine établie, tout devient beaucoup plus facile.

Colère

Les schizophrènes ne se fâchent ni plus, ni plus souvent que les autres. La seule différence, c'est que leur colère est souvent inattendue et aparemment sans cause. Comme elle semble gratuite, il est souvent difficile de l'affronter. Habituellement, elle est provoquée par une interprétation erronée d'un commentaire ou d'un acte. Cela peut être évité ou réglé rapidement si le responsable explique ce qu'il a réellement voulu dire ou faire et quelles étaient ses intentions véritables.

Sautes d'humeur

Si l'humeur d'un schizophrène semble très changeante et s'il paraît très irritable, cela peut être le signe d'une réapparition des symptômes actifs. Si le professeur ou l'employeur a une bonne relation avec l'étudiant ou l'employé, il peut mieux discuter ouvertement de ce type de problèmes et lui suggérer de prendre rendez-vous avec le thérapeute. La franchise est préférable aux plaintes formulées auprès des autres.

Lenteur

Les professeurs et les employeurs qui remarquent une certaine lenteur chez les étudiants ou les employés schizophrènes peuvent se demander si cela est dû à la médication. C'est parfois le cas, mais cela peut également résulter d'une préoccupation. Si l'emploi exige un travail rapide et si la personne en est incapable, il vaut mieux lui suggérer un travail différent que de lui demander l'impossible.

Isolement

Une certaine tendance à l'isolement ne doit pas préoccuper outre mesure l'employeur ou le professeur. Souvent, le schizophrène effectue un meilleur travail lorsqu'il est seul et à l'abri du stress engendré par les relations interpersonnelles.

Soucis

Les préoccupations peuvent révéler le souci que le malade se fait de la qualité de son travail. Elles peuvent cependant signaler également des problèmes. Si cet état inquiète l'employeur ou le professeur, celui-ci doit se sentir libre d'aborder l'employé ou l'étudiant et de lui en parler.

Rendez-vous avec un thérapeute

Il est très important que l'étudiant ou l'employé puisse continuer d'aller à ses rendez-vous réguliers, que ce soit pour sa médication ou pour son traitement psychothérapeutique. Certains cabinets de médecins et certaines cliniques sont ouverts le soir, mais beaucoup ne le sont pas. En lui accordant le temps nécessaire pour aller à ses rendez-vous, même si cela signifie qu'il doive manquer le travail ou l'école, on garantit la santé et la qualité du travail de l'employé ou de l'étudiant.

Il est souvent utile que l'employeur ou le professeur, avec le consentement du schizophrène, puisse parler au thérapeute. Dans certaines circonstances, surtout dans les premiers temps d'un emploi ou au début de l'année scolaire, il peut être fructueux de faire visiter les lieux au thérapeute.

Dispositions spéciales

Plusieurs schizophrènes sont incapables à jamais d'affronter un monde du travail compétitif. Pour ces gens, il existe, dans la plupart des villes, des ateliers protégés et des emplois spécialisés, auxquels on peut avoir recours de façon temporaire, pour une période d'entraînement et d'ajustement ou pour des périodes prolongées. Le salaire constitue également un problème, puisqu'une personne qui travaille toute la journée exige au moins un salaire minimum, et que certains programmes spéciaux sont incapables d'allouer au malade un salaire décent.

Conclusion

Les schizophrènes qui sont effectivement capables de travailler dans un système compétitif deviennent habituellement des employés loyaux, fiables et indispensables.

CHAPITRE VIII

L'avenir

Changement des attitudes du public

Les attitudes envers la schizophrénie ont changé de façon considérable. Depuis les années 50, surtout depuis l'introduction de médicaments efficaces (1952), de plus en plus de schizophrènes vivent en société plutôt que dans les hôpitaux psychiatriques. Ce changement a permis au public d'entrer en contact avec des patients ayant recouvré la santé. De plus en plus, les gens se sont aperçus qu'il n'y avait aucune raison d'avoir peur de la schizophrénie. Par ailleurs, tout le monde n'a pas eu l'occasion d'entrer en contact avec des malades guéris; de nombreuses personnes ont donc encore peur de la schizophrénie et s'imaginent que le malade possède deux personnalités imprévisibles, un «monsieur Jekyll» et un «docteur Hyde».

Une telle croyance ne devrait pas persister parce qu'elle est très éloignée de la vérité. On a fourni beaucoup d'informations sur la schizophrénie. Plus cette éducation se développera, plus les attitudes du public changeront. Les stigmates reliés à la maladie mentale en général, bien qu'ils soient encore vivants, ne sont plus aussi actifs que par le passé. De plus en plus de parents et d'ex-patients parlent ouvertement de la schizophrénie. Ce qui, sans aucun doute, constitue une force puissante susceptible de modifier l'opinion publique.

Davantage de facilités

Des hôpitaux, des centres de réadaptation et des organismes de soutien communautaires existent déjà. Certaines régions possèdent plus de facilités que d'autres, habituellement parce qu'un groupe de pression local, constitué de personnes motivées, a pu stimuler l'intérêt, faire changer les lois locales et recueillir des fonds. Des groupes de personnes motivées, bien informées et intéressées sont à la base de l'amélioration des services actuels et de la mise sur pied de nouveaux aménagements. Par exemple, dans la plupart des villes, le besoin de foyers protégés pour les malades, ou d'appartements pour les schizophrènes sans famille ou qui ne peuvent pas vivre avec leur famille, se fait encore sentir. Un groupe organisé d'individus non professionnels, intéressés, travaillant ensemble, peut énormément faciliter la mise sur pied de tels aménagements. Il en est d'ailleurs ainsi pour les besoins en programmes sociaux et d'orientation.

De nouveaux programmes de réadaptation, encore expérimentaux, ont remporté certains succès; les développer davantage, de telle sorte que tous les schizophrènes puissent en bénéficier également, est une nécessité. Se tenir au courant des nouveaux développements dans le traitement de la schizophrénie et travailler efficacement ensemble, pour s'assurer que des stratégies de traitement bénéfiques soient mises en œuvre dans les communautés locales, tout cela constitue un défi et un travail éminemment utile pour les parents (voir annexe II, pour les groupes de parents déjà existants). Des pressions sur les gouvernements peuvent attirer l'attention sur les besoins financiers justes et équitables des programmes communautaires.

La guérison est-elle possible?

Guérison signifie éradication complète des problèmes, sans recours à aucun traitement consécutif. Il n'existe pas de guérison totale pour la schizophrénie. D'ailleurs, actuellement, plusieurs états pathologiques sont dans le même cas. En pratique, toutes les maladies, sauf les infections à court terme, requièrent un suivi post-thérapeutique destiné à contrôler la résurgence des symptômes. Il en est ainsi pour la schizophrénie. À l'avenir, lorsque la cause exacte des maladies, y compris la schizophrénie, sera mieux connue et mieux comprise, les chances de trouver un traitement curatif grandiront.

Lorsque la plupart des gens parlent de guérison, ils pensent surtout au contrôle de la maladie. Ce qu'ils veulent savoir se résume à cette interrogation: «Réussira-t-il à surmonter ses problèmes et sera-t-il capable de reprendre sa place dans la société?» La réponse à cette question est oui dans la plupart des cas, encore qu'il s'agisse d'un oui conditionnel.

Il y a quarante ans, les symptômes de la schizophrénie étaient si difficiles à traiter, que les deux tiers des individus admis en institutions y demeuraient plus de deux ans. Dix ans plus tard, lorsque certains médicaments efficaces furent découverts, un seul patient sur dix exigeait une hospitalisation de plus de deux ans. Aujourd'hui, il est rare que les malades séjournent à l'hôpital plus de 90 jours. Cela s'explique par l'action de médicaments plus efficaces et par l'existence d'organismes de soutien plus nombreux, destinés au malade convalescent.

Si on examine d'autres signes d'amélioration (absence de symptômes, retour au travail, amélioration des relations interpersonnelles, satisfaction personnelle, satisfaction familiale), on s'aperçoit que 80 p. cent des victimes de schizophrénie s'améliorent sur ces plans. Avec davantage de recherche et des traitements améliorés, ce pourcentage augmentera probablement, et le degré d'amélioration s'accroîtra également.

État actuel de la recherche

Actuellement, on note beaucoup d'activité et d'enthousiasme dans la recherche sur la schizophrénie. Une ou deux substances neurotransmettrices (produits chimiques agissant dans le cerveau) ont été découvertes et étudiées depuis un certain temps. Au cours des dernières années, d'autres neurotransmetteurs, auparavant inconnus, ont été découverts. Ils semblent tous interagir de façon complexe. Un certain désordre au niveau de ces substances chimiques est probablement responsable de plusieurs symptômes de la schizophrénie. Quelques-uns de ces neurotransmetteurs sont la dopamine, la sérotine, les endorphines, le GABA, l'acétylcholine et la substance P. Non seulement ils interagissent les uns avec les autres, mais ils sont également affectés par une multitude d'enzymes et de peptides (substances protéiniques) du cerveau. Certaines de ces enzymes facilitent ou entravent l'action des neurotransmetteurs, aux sites protéiniques spécifiques (récepteurs) sur les membranes des cellules nerveuses du cerveau. Bien sûr, il est impossible d'étudier les cellules cérébrales directement. On peut cependant étudier l'action de ces produits chimiques sur des cellules prélevées sur un malade schizophrène. Toutes les cellules de l'organisme, y compris les cellules du sang, ont certaines propriétés en commun avec les cellules nerveuses. On peut également étudier les cellules cérébrales des animaux, même si, bien sûr, les animaux ne sont pas victimes de schizophrénie. On peut également étudier le cerveau de schizophrènes décédés. Ils semble que certaines régions cérébrales de ces malades contiennent plus de récepteurs de la dopamine que les mêmes aires chez des individus non schizophrènes. Ceci constitue une découverte importante. Cette anomalie peut résulter en partie du traitement aux neuroleptiques ou être due aux nombreuses années pendant lesquelles le malade a présenté des symptômes spécifiques; elle peut même avoir existé depuis la naissance. De nouvelles techniques radiologiques (tomodensitométrie) ont fait apparaître des zones de rétrécissement cérébral chez quelques schizophrènes. Mais on ignore toujours si ces irrégularités sont la cause des symptômes de la schizophrénie ou s'ils sont une réaction à la maladie. Des techniques plus récentes encore (tomodensitométrie à émission de positrons) étudient non seulement la structure du cerveau, mais également son fonctionnement.

À côté de ce foisonnement de recherches en physiologie, en radiologie et en biochimie, on continue d'effectuer des études pour tenter de découvrir le processus de transmission héréditaire de la maladie. On s'efforce de poser un diagnostic plus précis et objectif et de mieux déterminer les facteurs déclenchants de la maladie. Des traitements meilleurs et plus efficaces sont également à l'étude. Il existe de nos jours des moyens de déterminer, par l'analyse de sang, si le malade prend sa médication et si le dosage est adéquat. Les compagnies pharmaceutiques essaient de trouver de nouveaux médicaments qui produisent moins d'effets secondaires. On étudie sérieusement les programmes sociaux et communautaires, afin d'évaluer leur efficacité à long terme sur la prévention de la maladie et d'améliorer la qualité de la vie des victimes de schizophrénie.

DEUXIÈME PARTIE
Témoignages

CHAPITRE IX

Témoignage d'une mère

Il y a environ cinq ans, notre fille de 24 ans est devenue très perturbée: elle entendait des voix et avait l'impression d'être suivie, ses jours et ses nuits étaient remplis de peurs incessantes et d'angoisses. Son père et moi étions intrigués et affolés. Quelques mois plus tard, Élizabeth était admise a l'hôpital.

Bien que son père et moi la visitions chaque jour pendant son séjour de 14 mois, sa maladie nous laissait toujours perplexes. Pendant cette période, nous n'avons jamais rencontré son médecin; nous n'avons pas exigé de rendez-vous avec lui, et lui n'a pas demandé à nous voir. Juste avant son congé de l'hôpital, nous avons rencontré la travailleuse sociale qui nous a donnés brièvement quelques conseils utiles pour aider Élizabeth à son retour à la maison. La travailleuse sociale nous a conseillé de surveiller certains signes critiques qui indiqueraient une rechute. Il restait à organiser et planifier l'avenir d'Élisabeth, pour qu'elle travaille dans un atelier protégé et qu'elle visite régulièrement son médecin, qui contrôlerait sa médication.

L'entrevue prenait fin, lorsque je posai la question importante: «Quel est le diagnostic?» Je reçus la réponse comme un coup terrible: notre fille était schizophrène! Nous avons alors demandé si nous devions en informer nos parents et nos amis, si nous devions le dire à Élisabeth ou si nous devions garder cela secret? Nous nous demandions également quel genre de vie attendait notre fille, si elle pouvait retourner à l'école, si elle pouvait encore rencontrer un ami et se marier? On n'a pas répondu avec compréhension à la plupart de ces questions, mais on nous a conseillé de garder pour nous la nature de la maladie de notre fille. Nous ne devions pas non plus en informer encore Élisabeth. Sur mon insistance, nous avons obtenu qu'elle soit suivie en clinique externe au même hôpital et qu'elle rencontre brièvement son psychiatre chaque fois qu'elle aurait besoin d'une nouvelle ordonnance. S'il y avait possibilité de rechute, je voulais qu'un psychiatre puisse l'examiner. Mal informés et totalement désorientés, nous avons ramené Élisabeth à la maison et nous l'avons conduite à son emploi dans un atelier protégé.

À notre grande surprise, nous avons remarqué qu'il était plus facile de vivre avec Élizabeth qu'auparavant. Comme une enfant obéissante, dépensante et malade, elle exécutait nos ordres, prenait sa médication régulièrement et travaillait consciencieusement à l'atelier. Nous la surveillions attentivement, sans espérer de sa part une grande contribution aux travaux domestiques.

Mais vivre avec Élisabeth, c'était en quelque sorte comme vivre avec un robot, ce qui nous préoccupait de plus en plus. Nous avons cherché une explication à son état; nous en avons blâmé la thérapie par électrochocs et la médication. Nous pensions que si sa médication était réduite, elle serait moins infantile, moins léthargique. Par ailleurs, nous ne voulions pas qu'une réduction de la dose lui fasse risquer une rechute. Tout cela nous plongeait dans un cruel dilemme.

Notre plus jeune fille nous suppliait de reprendre un rendez-vous avec le psychiatre. Nous avons donc admis avec elle qu'il nous fallait connaître les implications à long terme du comportement de sa sœur. Nous nous posions des questions importantes: la médication pouvait-elle être réduite? Existait-il d'autres alternatives que l'atelier protégé? Pourrions-nous trouver un foyer de groupe où elle pourrait éventuellement demeurer? Malheureusement, la rencontre entre le médecin d'Élisabeth et mon mari n'apporta que déception. Élisabeth recevait, prétendait-il, une médication d'entretien dont la dose ne pouvait être diminuée; il nous avisa en outre qu'il était préférable pour elle de continuer de travailler à l'atelier et de vivre avec nous. Il laissait entendre que son état ne s'améliorerait jamais, et, pour la première fois, nous fûmes découragés face à l'avenir.

Deux ou trois choses survinrent alors en même temps, qui entraînèrent des changements dramatiques dans la vie d'Élisabeth.

Tout d'abord, notre plus jeune fille, Paméla, et son bébé vinrent habiter avec nous, ce qui permit à Élisabeth de rencontrer d'autres jeunes gens et d'assumer des responsabilités de gardienne d'enfant. En outre, Paméla nous reprocha une fois encore notre découragement face à la maladie. Elle était convaincue qu'Élizabeth avait besoin d'une ambiance plus stimulante pour vivre, que nous la traitions comme une personne retardée et la maintenions trop dépendante de nous. Paméla avait compris qu'Élizabeth stagnait à l'atelier. Elle s'arrangea avec son père pour qu'Élizabeth puisse travailler à son bureau. Elle l'entraîna, des soirées durant, à effectuer des travaux à sa portée. Elle nous incita à consulter un autre psychiatre pour obtenir une seconde opinion sur les possibilités qui s'offraient à Élizabeth de mener une vie plus indépendante.

Le second événement important fut le changement de médecin. Le nouveau psychiatre nous parut immédiatement sympathique et nous fûmes très heureux lorsqu'il nous proposa de le rencontrer pour discuter des progrès d'Élizabeth, pour poser des questions et faire des suggestions. Deux ans après la sortie de l'hôpital d'Élisabeth, nous sommes retournés le rencontrer, lui et une infirmière psychiatrique. Cette rencontre fut merveilleuse: ces professionnels étaient chaleureux, compréhensifs et sérieux. Nous étions alors à la fois excités et optimistes!

Cette rencontre provoqua, dans nos vies, un certain nombre de changements, qui contribuèrent à améliorer considérablement le comportement d'Élisabeth. Entre autres, Élizabeth commença une thérapie dans une clinique spécialisée, et mon mari et moi-même nous joignîmes à un groupe de parents. Je dois dire que cette façon de faire fut très bénéfique, et qu'elle continue de l'être pour toute la famille.

Graduellement, Élizabeth se transformait de façon notable. Elle se mit à se promener dans la rue, à s'intéresser à son apparence, à aider aux travaux domestiques et à sortir davantage. C'était comme si elle revenait à la vie.

L'été dernier, elle fit un voyage au Vénézuéla, pour rendre visite à une amie d'école et à son mari. Nous étions bien sûr inquiets, à cause de ce voyage, des changements d'alimentation et des habitudes de sommeil, mais nous devions la laisser partir! Elle avait planifié elle-même ce voyage et mis de l'argent de côté dans ce but. Ce fut pour elle une expérience exaltante, et elle revint à la maison en pleine forme.

Au cours de l'année passée, d'autres changements se produisirent. Moins dépendante, plus sûre d'elle-même, elle est capable de discuter avec nous et de défendre son point de vue. Récemment, une de nos amies, qui ne l'avait pas rencontrée depuis un an, remarqua ce changement incroyable. Elle nous fit réaliser le calme d'Élizabeth, sa vivacité et sa participation à la conversation.

Le changement spectaculaire survenu chez notre fille n'est pas imputable au changement de médication. Il est relié, sans conteste, à l'excellence de l'aide professionnelle et à une atmosphère plus stimulante, à la maison comme au travail.

Cependant, après cinq ans, nous faisons toujours face au défi d'essayer d'aider Élisabeth à acquérir plus d'indépendance. Elle ne peut pas encore réaliser cela, puisqu'elle travaille avec son père et qu'elle demeure avec nous. Elle commence actuellement à rechercher d'autres emplois et à s'informer sur la formation à acquérir. Nous explorons également les possibilités de vie en foyer de groupe. Avec le soutien de la clinique et du groupe de parents, nous pensons pouvoir atteindre ces buts. Nous sommes optimistes quant à l'avenir d'Élizabeth.

CHAPITRE X

Témoignage d'un père

Un jour, ma fille m'a appelé d'Ottawa (Ontario) pour me dire: «S'il te plaît, envoie-moi de l'argent». Elle était partie pour deux jours en emportant 200 dollars. Pendant son appel téléphonique, il nous fut impossible de savoir pourquoi il lui fallait encore de l'argent. «C'est très important», disait-elle, «une personne très importante s'intéresse à moi». Cela paraissait bizarre mais, au début du moins, compréhensible. C'était d'ailleurs le problème principal au début de sa maladie: nous ne savions jamais s'il s'agissait de chimères, si elle nous taquinait, si elle était fâchée après nous, ou si elle était déroutée. Nous réalisâmes rapidement que tout cela n'était pas drôle pour elle. Ces soi-disant aventures avec des stars du cinéma, des producteurs d'Hollywood, des politiciens et des membres de la famille royale ne la rendaient pas du tout heureuse mais la bouleversaient tout le temps. Éprouvait-elle trop de stress à l'école? Nous nous le demandions sincèrement. En tant que père, étais-je responsable de ces troubles et, si oui, de quelle façon? Comment pourrais-je l'aider à faire face à la réalité? Comment pourrais-je accepter d'assumer la responsabilité de son comportement qui devenait de plus en plus incohérent? Comme nous ne savions pas quoi faire, nous avons espéré que cette phase prendrait fin et que notre fille se calmerait après quelque temps; nous n'avons donc rien fait.

Comme nous étions de moins en moins capables de la raisonner, nous fûmes vite dépassés par les événements, elle autant que moi d'ailleurs. Finalement, à bout de patience, nous avons consulté des professionnels, pour rechercher de l'aide, mais il nous a fallu près de cinq ans avant de réaliser qu'elle était effectivement malade! On nous annonça alors qu'elle devait être hospitalisée. Cela nous bouleversa, mais nous n'avions pas le choix. Son comportement était devenu incontrôlable; elle avait abandonné l'école, ne voulait pas travailler, restait dans son lit toute la journée, sortait toute la nuit et revenait au matin avec ses histoires extraordinaires. Lorsqu'elle fut à l'hôpital nous fûmes d'abord soulagés, car nous étions convaincus qu'elle recevrait alors l'aide dont elle avait besoin. Puis ce fut le choc: on nous annonça qu'elle était schizophrène. L'équipe hospitalière tenta bien de nous expliquer ce que cela signifiait mais, pour des parents ce n'est pas facile d'accepter ces choses. Le traitement recommandé semblait basé sur des médicaments et nous étions contre cela. Nous ne savions en fait presque rien de la schizophrénie à ce moment.

Je crois que nous n'étions pas les seuls à avoir des espoirs irréalistes sur ce que la psychiatrie pouvait faire et sur la manière de traiter notre enfant. Je pense que les professionnels ne passent pas assez de temps à expliquer aux parents, à les rassurer et à les soutenir. La plupart des choses que nous avons apprises, nous les devons au hasard.

L'éducation des parents et des membres de la famille à propos de la schizophrénie est cruciale. Ils ont également besoin de rencontrer d'autres parents qui vivent la même situation. Comme nous ressentions fortement ce besoin d'assistance, nous avons été attentifs à toutes les sources de renseignements. Personne n'avait pensé à nous suggérer ce type d'aide.

Le problème de notre fille n'est pas réglé, mais nous sommes beaucoup mieux informés et nous savons maintenant davantage faire face aux situations, à mesure qu'elles surviennent. Lorsqu'elle nous affirme que le prince Charles la courtise, nous savons maintenant que ce n'est pas pour attirer l'attention, ni pour faire une farce, qu'il ne s'agit là ni d'une manœuvre pour nous soutirer davantage d'argent, ni à plus forte raison d'un vilain tour destiné à nous rendre fous. C'est pourtant ce que nous pensions auparavant. Nous réalisons maintenant que c'est ainsi que fonctionne son esprit. Lorsqu'elle se sent déprimée, je crois qu'elle tente n'importe quoi pour se remonter le moral. Maintenant, lorsqu'elle raconte que le prince Charles s'intéresse à elle, nous ne nous disputons plus avec elle. Nous ne l'évitons pas non plus, ce que nous faisions lorsque nous pensions qu'elle était folle. Nous lui affirmons que nous nous intéressons à elle, et nous faisons de petites tentatives pour qu'elle se sente mieux dans sa peau. Cela semble fonctionner.

CHAPITRE XI

Je suis schizophrène

Mon nom est Sandra. On a diagnostiqué la schizophrénie il y a 11 ans, quand j'avais 25 ans. Jusque-là, j'avais été danseuse professionnelle dans divers clubs de nuit et j'avais même enseigné le ballet.

Au cours de ma maladie, je suis passée de l'état de danseuse adulée par des millionnaires et des acteurs de cinéma, à celui de divorcée travaillant à temps partiel à vendre des boucles d'oreilles à 2 dollars, pour me retrouver finalement assistée sociale. Tout cela avant que je puisse commencer à remonter la pente.

Je suis maintenant infirmière psychiatrique, grâce au traitement et au soutien que j'ai reçus; j'aide les gens affligés de la même maladie que moi, ainsi que plusieurs autres personnes. J'ai obtenu mon diplôme d'infirmière il y a 3 ans, et j'ai terminé première de ma promotion, avec une moyenne de 86.

Vous remarquerez que j'ai titré ce chapitre «Je suis schizophrène» et non pas «J'étais schizophrène». Tout comme un alcoolique qui, au cours d'une rencontre entre «alcooliques anonymes», admet publiquement «Je suis un alcoolique», j'en suis venue à considérer la schizophrénie comme quelque chose qui fait toujours partie de moi, même si elle ne m'occasionne pas constamment des ennuis.

J'aimerais saisir cette occasion pour analyser les sentiments qu'on éprouve lorsqu'on vient à bout de la schizophrénie et pour montrer comment la psychiatrie peut aider, avec l'espoir que beaucoup de malades réaliseront qu'ils ne sont pas seuls et que, lorsqu'ils sont «à plat», la seule attitude qu'ils puissent adopter, c'est de tenter de se «regonfler».

Comprendre la schizophrénie

Il n'est pas facile de comprendre une maladie comme la schizophrénie qui nous amène à rechercher l'aide de la psychiatrie. Nous sommes bien mieux préparés à accepter l'éventualité d'une blessure à un bras ou d'une douleur à une jambe qu'à admettre que notre tête est «malade». Les cinéphiles se rappellent sans doute du film *Snake Pit,* dans lequel Olivia de Havilland était enfermée dans un cachot dont on avait jeté les clefs. Plus récemment, *Vol au-dessus d'un nid de coucou* a beaucoup effrayé le public, surtout au chapitre des lobotomies et des électrochocs.

La maladie nous fait pénétrer dans un nouveau monde où nous croyons que nos vêtements nous sont enlevés et que notre porte est verrouillée pour nous garder en détention. Dans la plupart des cas, nous ne réalisons pas que c'est pour notre sécurité.

Nous sommes confrontés à la peur. «J'ai peur car je n'ai jamais expérimenté ce genre de chose.»

Certains d'entre nous se sentent au contraire soulagés. «La maison était devenue un enfer; cet endroit est le paradis; plus rien n'est dangereux.»

Nous éprouvons divers sentiments à propos de nos hospitalisations antérieures, par exemple: «Je ressens comme un échec le fait d'aller à l'hôpital. Je ne peux accepter de retourner à l'hôpital tous les deux ans. Lorsque je reviens, je sais que je n'ai pas pu m'en sortir». Ou bien, nous avons des pensées négatives, par exemple: «J'ai passé six mois dans une atmosphère de violence. Je me souviens que d'autres patients me bousculaient. J'avais très peur et je pensais vivre la même chose pendant une nouvelle hospitalisation».

Toutes ces pensées nuisent en réalité à la compréhension de notre maladie.

Et il y a bien sûr la médication. Comment pouvons-nous accepter la nécessité de recevoir une médication pendant de longues périodes, surtout lorsque les médicaments nous rendent incapables de penser, provoquent chez nous des tremblements et de la nervosité ou nous font faire les cent pas continuellement?

Pour comble de malheur, on nous annonce: «Vous êtes schizophrène». Comment pouvons-nous accepter cela, lorsque nous avons vu le film *Three Faces of Eve?* Je ne connais pas Joane Woodward, mais je n'ai jamais eu qu'une seule personnalité, même si, quand on m'a annoncé que j'étais schizophrène, j'ai passé beaucoup de temps à essayer de découvrir mes autres personnalités.

Oui, nous éprouvons des peurs, dont certaines sont réelles et d'autres imaginaires, et qui mettent beaucoup de temps à disparaître.

Que dire également de la honte d'avoir été hospitalisé en psychiatrie? «Mes amis le sauront-ils?» «Mon patron l'apprendra-t-il?» « Si je révèle à quelqu'un où j'ai été hospitalisée, il pensera sans aucun doute que je suis folle».

Cela entraîne en outre une autre peur: «Je dois être réellement folle, sinon, pourquoi suis-je ici?» Comment pouvons-nous comprendre? Simplement en parlant de nos sentiments, en lisant, en questionnant, en discutant avec les autres et en comparant nos expériences. À cause de toutes ces peurs, il m'a fallu un certain temps pour comprendre ma maladie. Je ne lisais jamais rien, et je pensais que personne ne pouvait comprendre comment je me sentais, surtout pas les infirmières et les médecins, puisqu'ils n'avaient jamais fait face à cette épreuve. Mais, à force d'être rassurée et soutenue, à force de discuter, j'ai réalisé que beaucoup de gens comprenaient. Même s'ils n'avaient jamais affronté cette maladie, ils avaient, eux aussi, vécu certaines expériences traumatisantes.

Accepter la maladie

Au cours de ma neuvième hospitalisation — cela montre combien de temps il m'a fallu pour accepter ma maladie, — je me souviens avoir écrit un poème sur le service où j'étais hospitalisée. J'étais très fière de moi car mon poème fut épinglé au mur pour que chacun puisse le lire. Je ne me souviens plus en entier de ce poème; seule une phrase m'est restée en mémoire: «Je ne suis pas folle, ce sont les autres» les autres étant mes amis, autour de moi. Combien j'ai nié avoir besoin d'aide!

La négation est probablement la pire phase à surmonter dans cette maladie, et celle qui prend le plus de temps. La durée moyenne de mes hospitalisations était de 6 à 8 semaines, et j'ai été hospitalisée à neuf reprises! J'ai donc perdu un an et demi de ma vie à vouloir nier le fait que j'étais schizophrène. Comment ai-je pu en arriver là? En abandonnant la médication dès que je me sentais mieux. Je détestais tellement ces médicaments! Chaque fois que je les prenais, c'était admettre que quelque chose n'allait pas bien en moi, et cette pensée m'était insupportable.

Chaque fois que j'étais hospitalisée, on me répétait la même chose: «Si vous preniez vos médicaments et si vous rencontriez votre thérapeute, vous ne seriez pas hospitalisée de nouveau». Mais je détestais toujours prendre ces médicaments.

J'ai commencé à réfléchir à tout cela lors de ma dernière hospitalisation. «La médication doit être efficace, puisqu'elle m'améliore assez pour que je puisse sortir de l'hôpital». «Est-ce que je souhaite être hospitalisée pour le restant de mes jours?» «Peut-être devrais-je continuer à prendre ma médication; si je vais mieux en ce moment, elle y est sans doute pour quelque chose».

Au cours de mon dernier séjour à l'hôpital, j'étais prête à analyser ma négation de la maladie. J'en suis arrivée à accepter le fait que j'étais schizophrène au cours d'une longue psychothérapie et, pendant ma dernière semaine à l'hôpital, je fus une des trois personnes choisies pour parler à plus de deux cents étudiants en médecine. Je me souviens m'être levée sur l'estrade quand le médecin qui dirigeait le séminaire m'a demandé «Sandra, quel est ton problème?» J'ai répondu rapidement «Je suis schizophrène». Cela ne m'a pas blessé. En fait, j'étais fière d'avoir mis un terme à ma maladie. Cinq ans plus tard, après avoir suivi des études d'infirmière, j'exerce maintenant ma profession, et ça ne me blesse toujours pas d'accepter ma maladie.

Les amis et les parents

D'après mon expérience, on rencontre quatre catégories d'amis et de parents.

Les indifférents (ou ceux qui sont «très occupés»)

Ce sont ceux qui, lorsque vous êtes à l'hôpital, viennent vous voir et vous apportent des cigarettes, ceux qui vous demandent comment vous vous sentez et qui, finalement, discutent de leurs propres problèmes. Ils font d'ailleurs la même chose lorsque vous n'êtes pas à l'hôpital.

Cela fait très mal. Si des gens ont réellement besoin d'être réconfortés et rassurés, c'est bien nous; nous séjournons en enfer, ne l'oubliez pas. Essayez de comprendre ce qui nous arrive. Nous nous sentons faibles, vulnérables et déboussolés. Ne pensez pas que, parce que nous sommes en sécurité à l'hôpital, le problème est réglé, car il ne l'est pas. Nous devons lutter avec chaque sentiment, chaque pensée et chaque émotion, et cela n'est pas facile.

Les «surprotecteurs»

Ce sont ceux qui nous considèrent comme des invalides. Selon eux, nous ne pouvons rien faire; nous devrions donc rester à la maison, nous reposer et nous faire materner. Nous devrions quitter l'école, abandonner nos emplois, etc. S'il vous plaît, n'agissez pas ainsi! Acceptez le fait que nous soyons momentanément sans ressource, mais n'en déduisez pas que notre cas est sans espoir.

Je me souviens de m'être adressée à un groupe de schizophrènes, lors d'une réunion avec leurs parents. Un des parents avait peur d'amener sa fille en Europe pendant six semaines. «Ce serait trop lui demander», disait-il. J'étais furieuse! «Ne nous rendez pas pessimistes! Encouragez-nous plutôt à reprendre nos activités. Si vous ne nous acceptez pas, qui donc le fera?»

Les peureux

«Il est fou, maintenant, mieux vaut s'éloigner de lui». Cela fait également très mal. Comment pouvez-vous espérer que nous allions mieux, si vous n'acceptez pas le fait que nous sommes malades et que nous pouvons nous améliorer avec de l'aide? Cela nous incite à nier davantage notre maladie en plus d'augmenter notre solitude.

Les amis sincères

Au début, ils sont aussi déconcertés que les autres, mais ils tentent vraiment de se renseigner sur la maladie, autant auprès de nous que des autres. Ils cherchent constamment des solutions aux problèmes, aussi bien par eux-mêmes qu'en collaboration avec nous.

L'hospitalisation (l'équipe)

Je me souviens d'une de mes constatations les plus frustrantes, en tant que patiente: «Comment puis-je espérer m'améliorer si je ne vois jamais le médecin?» Comme tous les patients, je pensais que le médecin savait tout; les autres ne savaient rien; lui, et lui seul, pouvait m'aider. Je ne comprenais pas l'importance du rôle des psychologues, des travailleurs sociaux, des ergothérapeutes ou des infirmières. Je ne voulais rencontrer que mon docteur, et je ne comprenais pas pourquoi il n'était pas constamment près de moi, à ma disposition.

Maintenant que je suis infirmière, j'aimerais vous présenter l'équipe. Le médecin est responsable de l'équipe. Mais pourquoi une équipe? Le médecin s'occupe de plusieurs malades; il ne peut pas passer tout son temps avec un seul. Par conséquent, tous les membres de l'équipe agissent comme des «sous-docteurs»: ils vous écoutent, vous aident à cerner votre problème et vous guident vers une solution de vos problèmes. Les membres de l'équipe rédigent des notes et informent le médecin de votre état; celui-ci prend alors certaines décisions, après discussion des efforts que l'équipe fait pour vous aider. Donc, ne pensez pas que vous êtes abandonné. Beaucoup de personnes travaillent pour vous, et plusieurs d'entre elles sont plus accessibles, plus compréhensives et plus aptes à vous aider que le médecin lui-même.

Ne craignez pas d'«ennuyer» votre thérapeute

En tant que patiente et infirmière, j'en suis venue à réaliser qu'en psychiatrie, rien n'ennuie le thérapeute. Tout ce que vous pouvez dire l'aide à comprendre ce que vous ressentez. En l'aidant à comprendre qui nous sommes, il peut, en retour, nous aider à découvrir ce qui nous dérange. Prenez mon cas.

En moyenne, je vois mon psychiatre une ou deux fois par mois. Par l'analyse de ce que «je suis», nous avons découvert que nombre de mes symptômes apparaissaient lorsque j'étais rejetée par les individus du sexe opposé. Avec mon médecin, nous discutons, pendant les séances de thérapie, des hommes que je connais et de ma manière de réagir face à eux. J'ai longtemps pensé que je lui faisais perdre son temps en parlant de ces choses, et que j'aurais peut-être dû en discuter plutôt avec une de mes amies, mais j'ai réalisé que cela faisait partie du traitement qui m'aidait à mieux fonctionner.

Il est très important d'assumer la responsabilité de soulever certains problèmes et de travailler sur ses propres difficultés. Le fait d'être honnête et direct avec le thérapeute aide considérablement.

N'attendez pas que le monde s'occupe de vous

Comme je l'ai déjà dit, j'ai été une danseuse adulée de millionnaires et d'acteurs de cinéma, puis une divorcée qui vendait des boucles d'oreilles à 2 dollars, finalement, une assistée sociale. Une partie des raisons qui expliquent mes difficultés, c'est que je m'apitoyais sur mon sort. «Pourquoi suis-je malade? Pourquoi suis-je toujours à l'hôpital? Pourquoi mes amis ne sont-ils pas hospitalisés? Pourquoi les membres de ma famille n'ont-ils pas besoin de soins?» Attendre que le monde nous prenne en charge constitue une autre forme de NÉGATION. C'est nier le fait que nous nous sentons seuls, impuissants et désespérés, que nous avons besoin d'aide, que nous sommes malades, etc.

Ne permettez pas que cela vous arrive. DITES ce que vous ressentez. NE RESTEZ PAS SEUL. Participez à des activités, voyez votre médecin ou votre thérapeute, dites-leur comment vous vous sentez. Encore une fois, cessez de penser que personne ne vous comprend; car on vous comprend. Il est naturel de s'apitoyer sur son sort, à certains moments, mais ne restez pas «abattu». Rester «abattu», finit par être dégradant financièrement, physiquement et émotivement. Quand on se sent inutile, on se sent désespéré; si l'espoir renaît, c'est déjà une amélioration. La profession médicale vous offrira toujours de l'aide, même si les amis et les parents vous abandonnent; acceptez-la donc.

N'abandonnez jamais

Je me souviens comment j'ai commencé à me «laisser aller». Rétrospectivement, je m'aperçois que c'était de ma faute. JE NE COMPRENAIS PAS que l'aide était à ma portée. Je contrecarrais cette aide, en refusant le fait que les membres de la profession médicale en connaissaient plus que moi. Selon moi, personne ne pouvait ni savoir ni comprendre ce que je vivais. Je ne comprenais pas que je niais la maladie qui, pendant plusieurs années, m'a apporté tant de misère; je ne comprenais pas que j'étais incapable d'affronter seule nombre de mes problèmes. Je ne réalisais pas que la plupart de mes hospitalisations étaient dues à ma seule faute. En d'autres termes, je ne me comprenais pas moi-même; pourtant le combat pour l'amélioration est à moitié gagné, lorsqu'on se connaît mieux soi-même.

Par conséquent, apprenez à vous connaître! Apprenez à réaliser que la plupart des émotions que vous éprouvez sont normales, et que nous avons tous des problèmes, que nous devons apprendre à en parler, à les comprendre et à les affronter.

CHAPITRE XII

Histoire d'un schizophrène

Vous est-il déjà arrivé de vous lever et de réaliser que quelque chose allait très mal, sans pouvoir déterminer si c'était physique ou mental? Cela m'est arrivé. Je m'attendais à être victime d'une crise cardiaque: mon cœur cognait dans ma poitrine, et j'avais des vertiges. Je ne pouvais ni penser ni faire quoi que ce soit. Je ne pouvais que m'étendre et souffrir. Cet épisode marqua le début de ma maladie, qui avait été provoquée par plusieurs facteurs. J'étais un travailleur infatigable et très soucieux; je perdais lentement contact avec la réalité, préférant fuir dans la rêverie en permanence.

Je téléphonai à un psychiatre que j'avais rencontré à quelques reprises l'année précédente. J'essayai, en criant et en pleurant, de lui expliquer que quelque chose s'était vraiment détérioré en moi au cours de la dernière année. Il me recommanda d'aller à l'hôpital. J'acceptai et, à partir de ce moment, je fus admis à plusieurs reprises à l'hôpital psychiatrique.

Aussitôt après mon admission, le soulagement qui parcourut mes veines, me détendit lentement l'esprit, mais je retrouvai également mon monde de fantaisies. J'étais psychotique, mais j'en rendais responsable le monde entier. J'avais trompé tout le monde, sauf moi-même. À ma sortie de l'hôpital je pris des vacances en Californie. Pendant tout le voyage, je ne pus accepter le fait que j'aie été psychotique. De plus en plus, je désirais me retirer dans l'enfer tourmenté de mon cerveau. Je me sentais coupable de tout ce que j'avais fait depuis vingt ans. Je parlais seul, je pleurais et riais à la fois. Je pensais que la seule façon de sortir de cet enfer était de devenir violent, non seulement envers moi-même, mais également envers ceux qui m'entouraient. Je me détestais et je détestais ceux que j'aimais, mais par-dessus tout, je détestais le monde entier. Je devenais de plus en plus distrait et reclus, m'enfermant dans ma chambre pendant des jours. Je devais prendre une décision: me suicider, blesser quelqu'un ou tenter d'obtenir de l'aide. Je décidai de rechercher de l'aide. Cette fois-ci, j'allai au centre de jour. Je prenais du Valium et de la Stélazine, juste ce qu'il fallait pour me lever le matin mais, quand mon psychiatre supprima mes Valium, je retrouvai l'enfer pendant deux semaines. J'ai souffert de convulsions, de vomissements, de diarrhée, et j'ai perdu l'appétit. D'autres tranquillisants et des antidépresseurs ne me furent d'aucun secours. Le médecin n'arrivait pas à trouver ce qui n'allait pas. Il supputa que je pouvais être atteint d'une certaine forme de schizophrénie mais ne me le dit pas. Il me transféra plutôt à l'hôpital psychiatrique parce que j'avais besoin de soins plus intensifs. Mon nouveau docteur m'annonça qu'il n'était pas encore certain du diagnostic, mais que j'étais très malade. Lorsqu'il supprima toute médication, cela me mit en colère. Je souffrais d'insomnie et j'avais des hallucinations. Lorsque j'étais couché sur un lit, je pouvais réellement me voir me lever d'un autre lit. J'entendais des gens étranges me chuchoter des mots aux oreilles. Mon médecin me dit alors que j'étais victime d'une certaine forme de schizophrénie. Il me soumit graduellement à des doses croissantes de chlorpromazine. Le médicament put ralentir ma pensée et exercer un effet calmant, mais ne m'ôta pas mes pensées violentes. Je réalisai alors qu'il était temps d'affronter la réalité de mon état et de commencer à me prendre en mains. Je ne pouvais pas rester là, avec mes pensées, et attendre que le personnel et les médicaments me guérissent. Car cela ne constitue que 10 p. cent de la guérison. Ce que ceux qui souffrent de maladies mentales doivent d'abord réaliser, c'est que l'essentiel de la cure, ou du contrôle de la maladie mentale, dépend du patient. Si vous voulez vraiment vous améliorer, vous vous améliorerez. Plus vous attendez sans rien faire, plus le temps nécessaire à votre amélioration sera long. En fait, votre état peut même empirer. Au début, je ne le croyais pas mais, au plus profond de moi, j'avais le désir de m'améliorer, et j'étais très motivé. Ce dont j'avais besoin, c'était de l'étincelle qui me fasse démarrer. Dans mon cas, on a utilisé la psychologie, ce qui m'a amené à éprouver de moins en moins de sentiments de tristesse, à coopérer de plus en plus — et non plus à me conformer — avec le personnel, et à écouter ce que les autres patients disaient éprouver. Je réalisais bientôt que je n'étais pas aussi mal en point que je le croyais. Certains autres malades n'avaient ni amis ni famille à qui parler. Je me suis aperçu que je désirais leur parler de plus en plus. Cela représenta un nouveau début pour moi. J'étais enfin capable d'écouter ce que quelqu'un d'autre avait à dire. Je n'avais pas pleuré depuis un an. J'avais encore cependant des problèmes qui m'empêchaient de penser normalement.

Un changement de médication ne m'a pas aidé à régler complètement ces problèmes. J'ai commencé à subir des électrochocs. Le premier d'une série de dix-huit me donna mal à la tête. Je reçus ces traitements les lundis, mercredis et vendredis matin, pendant six semaines. Bien que je pensais, au début, que c'était une forme de traitement cruelle, je dois avouer que cela a été efficace dans mon cas. Ce traitement a ramené ma pensée à une vitesse normale et, en combinaison avec un médicament appelé péricyazine (Neuleptil), m'a permis de réorganiser ma pensée.

La psychothérapie vint ensuite. Ce fut une expérience passionnante et très importante pour mon cerveau. Mon médecin essayait de faire en sorte que je puisse m'aider moi-même, mais je continuais à avoir des pensées violentes (par exemple, je n'osais pas allumer une cigarette par crainte de provoquer un incendie). Malgré ces périodes irrationnelles, je regagnais lentement stabilité et force. Un jour, enfin, mon mur de défenses s'écroula. J'étais tellement fâché et bouleversé que je voulais à la fois attaquer mon médecin et m'effondrer en larmes. J'optai pour cette dernière solution: c'était là mon premier soulagement depuis plus d'un an. Auparavant, au lieu d'accepter ma colère, je niais jusqu'au bout être fâché contre quelqu'un.

Au cours de la semaine suivante, mon médecin m'annonça que je recevrais mon congé médical trois semaines plus tard. Sans domicile est sans avenir, je pensais qu'il me fallait faire quelque chose qui me permît de rester à l'hôpital. L'anxiété réapparaissait, la tête me faisait mal et les pensées violentes reprenaient de la vigueur; par ailleurs, je recommençais à m'isoler. J'alléguai donc que j'étais encore fou et que présentais un danger pour moi-même.

Ma travailleuse sociale, que j'aime encore autant que ma propre famille, m'a énormément soutenu. Elle m'a expliqué la vie que je pourrais mener dans un foyer de groupe, où des gens qui ont affronté des problèmes émotionnels et mentaux vivent ensemble et font face aux problèmes quotidiens. Toutefois, d'autres problèmes peuvent surgir, lorsqu'on vit avec dix autres personnes sous un même toit. Le fait que certains soient encore relativement malades peut être déprimant pour quelqu'un qui tente de «remonter la pente». Par ailleurs, cela nous rappelle notre passé. Ce qui est bénéfique, cependant, c'est que cette situation nous pousse à essayer davantage de nous aider nous-même.

Ma travailleuse sociale m'a aidé à trouver un foyer de groupe, deux semaines avant mon congé de l'hôpital. Nous y sommes allés au cours de la soirée, et nous y avons été reçus chaleureusement. J'ai alors pensé que c'était peut-être là l'endroit qui me permettrait de prendre un nouveau départ.

À l'hôpital, je venais juste de terminer le programme d'évaluation des possibilités de réadaptation. Les tests révélaient que j'étais intelligent et que je pouvais faire ce que je voulais. On me demanda si je souhaitais suivre une formation professionnelle accélérée. L'idée me terrifia de prime abord; je pensais échouer et devenir un cas désespéré. Mais je suis un combattant et j'ai donc accepté la proposition.

Je suis sorti un samedi, et je suis allé au foyer de groupe, où je n'ai pas pu dormir car j'étais trop excité par cette aventure. Le dimanche, j'ai rejoint les autres dans la salle à manger et j'avais peur de finir assisté social comme beaucoup d'autres malades, puisque je n'avais que 12 dollars en poche pour le mois; la location de la chambre et la nourriture étaient réglées. C'est alors que je décidai de prendre ma vie en mains. Le lundi matin, je suis retourné à l'hôpital, en tant que patient de jour, de 9 heures à 16 heures. Je rencontrais mon médecin régulièrement, et je lui révélais les choses qui m'avaient habité pendant des années. Peu importe ce que je faisais, ma priorité était de faire face à la réalité, à la vie, à la mort, aux succès et aux échecs. Je n'avais jamais expérimenté cela auparavant. J'avais tout simplement «survécu». J'éprouvais maintenant des émotions inconnues pour moi, bonnes et mauvaises: l'amour, la haine, la compassion, le besoin d'autrui et le désir global de vivre!

Pendant la thérapie, le premier problème est celui de la confiance envers le médecin. Les malades sont en général effrayés de révéler des secrets intimes à des gens qu'ils ne connaissent pas et préfèrent plutôt éprouver la culpabilité et la honte; ils craignent, s'ils confient des choses à leur médecin, que celui-ci ne les aime pas et les rejette éventuellement.

Une semaine après ma sortie d'hôpital, j'ai commencé à suivre des cours. Au foyer, mes amis les plus proches en firent autant. Cela aide beaucoup à atténuer les sentiments d'insécurité et à créer des liens. Ce fut à cette époque que je me mis à éprouver un réel besoin de m'exprimer. Je croyais que, peut-être, en couchant mes sentiments sur le papier, je me sentirais moins déprimé. J'ai donc écrit mon premier poème, intitulé *Problèmes.* C'était ma façon de faire face à la réalité. Je sais que cela peut sembler étrange mais je me sentais inspiré en l'écrivant. Même maintenant, je le relis de temps en temps, pour me rappeler que l'espoir existe, non seulement pour moi, mais aussi pour tous les autres. Le fait de retourner à l'école a eu sur ma vie un impact considérable. Le simple fait de me lever tôt le matin représentait plus un plaisir qu'un devoir. Je recevais une allocation de chômage pour subvenir à mes besoins et les choses me semblaient aller de mieux en mieux. Mais j'avais un problème d'alcoolisme. À nouveau, je fuyais la réalité. Je ressentais encore une certaine pression que l'alcool me permettait d'atténuer. Non seulement je savais qu'ainsi je compromettais mon avenir, mais en outre, je n'avais pas les moyens de me payer à boire. Ma compagne me prêtait de l'argent pour que je puisse boire. Ce n'est que deux ans plus tard que je me suis convaincu d'arrêter et que j'ai effectivement cessé de boire.

À la fin des cours, mon meilleur ami et moi, nous sommes inscrits à un autre cours destiné à nous ouvrir une carrière. C'était un cours en «orientation de la production industrielle». C'était vraiment ce qu'il nous fallait pour nous en sortir.

Nous avons passé nos examens avec succès au début de l'été et nous sommes à nouveau inscrits à un autre cours d'une durée d'un an. J'avais peur de ne pas terminer l'année; j'ai cependant bien travaillé et j'ai réussi. Aujourd'hui, mon ami répare des fours à micro-ondes et c'est vraiment un maître. De mon côté, je n'ai jamais trouvé d'emploi conforme à ma spécialité.

Demeurer au foyer m'était de plus en plus difficile, parce que j'allais de mieux en mieux, tandis que d'autres semblaient régresser. J'ai eu beaucoup de difficulté à affronter cette réalité. J'ai cependant décidé de rester là jusqu'à la fin de mes études.

Avec mon médecin, une heure par semaine, nous discutions et nous tentions de résoudre mes problèmes. Il m'a fallu un an et demi avant de pouvoir contrôler mes pensées violentes mais, bien souvent encore, je niais être fâché contre quelqu'un. J'étais encore réellement très fâché contre le monde, car je pensais n'avoir pas eu de chance dans la vie. Les pensées violentes étaient ma façon de traiter avec ces sentiments. Lorsque j'ai affronté la vérité, cela m'a vraiment fait mal. En fait, je n'avais pas eu moins de chance que les autres dans la vie. La vie a ses hauts et ses bas; il faut apprendre à s'en accommoder.

J'ai énormément pleuré avant de surmonter cette douleur. Mon médecin n'alimentait pas ma tendance à m'apitoyer sur mon sort. Il est parfois bon de s'apitoyer sur son propre sort, mais il ne faut que cela dure. Il faut continuer à vivre sa vie; le fait de s'apitoyer trop longtemps sur son sort empêche quiconque de faire quoi que ce soit dans la vie. Par moments, mon médecin était très dur avec moi. Il ne me laissait pas partir tant que je continuais à nier quoi que ce soit. L'honnêteté envers le médecin représente la meilleure police d'assurance qui soit, du moins je le crois.

J'aimerais bien écrire que j'ai réussi, mais je ne le peux pas. Mes pensées sont meilleures et je me sens mieux, mais je suis pauvre, je n'ai pas encore trouvé d'emploi et je dois suivre d'autres cours. Mais je n'ai pas abandonné!

CHAPITRE XIII

Le point de vue d'une mère

L'incompréhension du début

Le parent d'un enfant qui montre des symptômes de schizophrénie ne peut pas comprendre ce qui arrive. Pendant longtemps, nous avons cru que le comportement étrange de notre fils était imputable aux drogues; nous avons donc tenté de régler ce problème par la discipline. Nous savons maintenant qu'il était malade, bien longtemps avant qu'il ne commence à s'adonner à la drogue. Ce que nous réalisons par contre, c'est que la marijuana améliorait temporairement son état, ce qui explique pourquoi il en usait.

Maintenant, la principale question que nous posons est la suivante: «comment se fait-il que nous soyons si ignorants?» En tant que mère, je n'avais pas besoin d'un médecin pour constater que mes enfants avaient la rougeole ou diverses autres maladies habituelles. J'avais pris des cours de secourisme et j'avais lu des tas de choses sur la santé en général. Comment se fait-il que je n'aie jamais vu aucun article sur la schizophrénie ou les autres maladies mentales qui affectent les jeunes? Pourquoi garder le secret sur une maladie si grave et qui affecte tant de gens?

Je ne comprendrai jamais pourquoi on n'accorde pas aux maladies mentales la même publicité qu'aux autres maladies.

L'impuissance devant l'attaque aiguë

Notre fils avait absorbé une petite quantité de LSD et nous semblait agir comme s'il avait très peur. Nous avons contacté notre médecin de famille qui nous a suggéré d'appeler l'hôpital psychiatrique. Lorsque nous leur avons parlé de LSD, les autorités de l'hôpital nous ont conseillé d'aller à un centre pour toxicomanes. C'est ce que nous avons fait. Notre fils fut donc placé dans un foyer où il était surveillé 24 heures sur 24 et où on lui interdisait de prendre de la drogue; il voyait le médecin deux fois par semaine. Après six semaines, au lieu de s'améliorer, son état empirait. C'est alors que le médecin a fait le nécessaire pour qu'il soit admis à l'hôpital psychiatrique.

La découverte du bon médecin

Quelle que soit sa spécialité, trouver un bon médecin est toujours une entreprise difficile. Lorsqu'il s'agit des maladies mentales, il existe tellement de médecins aux vues si différentes qu'il n'est pas aisé de trouver un bon psychiatre. Rien n'est plus pénible que quelqu'un qui évite les questions, car on imagine toujours le pire. Ce fut pour nous, finalement, un soulagement de rencontrer un médecin qui prenne le temps de discuter avec nous et qui soit honnête à propos de l'état de notre fils. Il répondait à toutes nos questions et nous laissait entrevoir un espoir.

La réaction de la famille

Lorsqu'un membre de la famille est à ce point perturbé, il se produit une sorte de choc. Vous n'allez plus voir vos amis, non pas à cause de la honte, mais surtout à cause du choc, si profond qu'il vous empêche d'en parler. Vous ne pouvez pas comprendre; comment voulez-vous donc que les autres comprennent? Vous ne pouvez pas en parler, certes, mais vous y pensez toujours. Vous voyez couler des larmes sur le visage d'un mari qui d'ordinaire ne pleure pas; une femme qui pleure habituellement pour de petits riens ne peut plus pleurer, même si elle sait que cela la soulagerait. À ce moment-là, vous avez perdu tout sens de l'humour.

Quand notre fils fut hospitalisé, nous avons trouvé cela terriblement triste. Maintenant au moins, nous comprenons qu'il recevait là l'aide dont il avait tant besoin. Pour nous, ce fut un peu comme si nous recommencions à vivre.

Comment, actuellement, nous traitons le problème à l'intérieur de la famille

Pendant ses bons jours, j'essaie d'encourager notre fils le plus possible. Nous parlons de sa journée et de toutes les choses agréables qu'il peut faire et apprécier. Pendant les mauvais jours — qui surviendront encore, nous en sommes sûrs —, nous voulons qu'il comprenne qu'il ne s'agit pas d'une régression, mais seulement d'une sale période à passer. Il doit parvenir à suffisamment comprendre la maladie pour ignorer les mauvais jours et continuer à progresser.

Nous ne mentons jamais à notre fils, parce que nous voulons qu'il ait confiance en nous. Nous ne le traitons pas comme s'il était malade. C'est un membre important de la famille, avec les mêmes droits que les autres. Nous attendons de lui qu'il soit bien peigné, qu'il soit respectueux d'autrui, qu'il soit si possible gai et qu'il essaie de s'améliorer. Nous attendons de lui qu'il nous informe lorsque quelque chose ne va pas et qu'il discute de ses émotions avec nous. Il existe de très nombreuses journées où nous sommes très heureux d'être en sa compagnie. Vous ne pouvez pas dire à un schizophrène ce qu'il doit faire; vous pouvez seulement l'encourager. Nous n'attendons pas de miracle de la médecine. Si je ne suis pas trop critique ou trop exigeante, il m'est habituellement facile de m'entendre avec mon fils.

Comment un groupe de parents nous a aidés

Je comprends bien maintenant les problèmes de médication et de manque de motivation qu'on retrouve chez la plupart des schizophrènes. Je connais maintenant les problèmes qui surgissent dans les foyers de groupe ou les foyers protégés, ainsi d'ailleurs que les situations familiales difficiles de certains malades et de leurs familles. Je connais également les services disponibles dans le milieu. Je pense posséder au moins les connaissances de base sur certains symptômes de la maladie et je sais quand demander de l'aide. Je réalise aussi qu'il ne faut pas trop stimuler un schizophrène. Il faut simplement vivre au jour le jour et profiter des bonnes choses. Il faut aussi encourager et féliciter le malade, car cela rend les choses plus faciles, en attendant que celui-ci aille mieux. Cette maladie comporte des hauts et des bas. En tant que parents, nous devons garder notre sang-froid et tenter de vivre une vie de famille aussi normale que possible, sans nous laisser aller au découragement. À ce propos, je suis convaincue que les familles confrontées à des problèmes similaires peuvent s'aider les unes les autres. J'aimerais d'ailleurs moi-même aider d'autres familles qui sont aussi déboussolées que nous l'étions et les aider à découvrir comment vivre une vie aussi normale que possible, en dépit des problèmes que pose la schizophrénie.

Onze points à retenir

1. N'abandonnez jamais, les choses s'améliorent toujours.

2. Les complexes de culpabilité (essayer de trouver ce qu'on a pu faire de mal) sont une perte de temps. Ditesvous plutôt que cela devait arriver, et demandez-vous ce que vous allez faire à partir de maintenant.

3. Faites des choses qui *vous* rendent heureux.

4. Rappelez-vous que votre enfant est *malade*. Il ne peut pas empêcher sa maladie, pas plus qu'il ne le pourrait s'il était paralysé. Essayez de garder cela présent à l'esprit. Soyez patient.

5. Les soins corporels peuvent constituer un problème, mais essayez d'être positif. Dites à votre enfant combien il a belle apparence quand il est bien peigné et bien habillé. Laissez des vêtements propres à sa disposition; cachez les vieux vêtements qu'il insiste pour porter habituellement. Placez une bouteille de shampoing à sa portée, et n'oubliez pas de le féliciter lorsqu'il a les cheveux propres.

6. Encouragez ses amis à lui téléphoner ou à venir lui rendre visite.

7. Ne lui faites jamais de critiques; il en a déjà assez entendues. N'essayez jamais de le cacher aux amis ou aux parents.

8. Accrochez-vous à vos croyances religieuses; vous en avez réellement besoin. En ce qui me concerne, ce point me semble être un des plus importants.

9. Recherchez et lisez toutes les informations possibles concernant la maladie de votre enfant. Assistez aux conférences sur la santé mentale organisées par les différentes associations, y compris celles patronnées par votre

hôpital. N'hésitez pas à poser des questions au médecin de votre enfant, même si vous craignez que certaines d'entre elles paraissent ridicules.

10. Avant tout, aimez votre enfant, même lorsqu'il est au pire de son état. N'espérez pas qu'il satisfasse toujours vos attentes.

11. Vivez au jour le jour. N'essayez pas de résoudre les problèmes un an ou dix ans à l'avance.

CHAPITRE XIV

Le dilemme du médecin

La schizophrénie est une maladie grave qui implique un long et difficile combat pour le malade et pour ceux qui l'entourent. Le médecin, à qui on attribue la responsabilité des soins du malade, doit faire face à des situations qui, par moments, peuvent s'avérer très difficiles. Sa tâche réelle, en fait, consiste à conserver une confiance réaliste, malgré les reculs frustrants, et à ne jamais «abandonner» face à un malade. Je sais que nombre de mes actions sont perçues comme étant déplaisantes et malvenues, même si je les pose dans le but d'aider.

Ma conception de la schizophrénie détermine, c'est évident, mon approche des soins et du traitement. Je considère la schizophrénie comme relevant d'un grave dérèglement de la chimie cérébrale qui fait vivre à la victime des expériences très inhabituelles et parfois effrayantes. C'est là la base physique et biologique de la maladie. La façon dont un individu réagit à l'expérience psychotique constitue la composante psychologique. La plupart des malades sont effrayés et désorientés par cette maladie étrange et par le fait qu'elle soit rattachée à la «folie». Ils sont également influencés par les réactions de leur famille, de leurs amis et de leurs collègues.

Pendant ma formation, on m'a enseigné qu'un bon psychiatre devait pouvoir comprendre ce que le patient éprouvait, parce que cela représentait la base de la «thérapie»; cependant, on m'a dit également que c'était difficile d'entrer en contact avec les schizophrènes, parce qu'ils avaient de la difficulté à établir des relations interpersonnelles. Cela signifiait alors pour moi que ça ne valait pas la peine d'essayer. Je vois les choses différemment aujourd'hui. Je saisis pleinement que le patient a subi un traumatisme terrible: la perte de sa santé mentale (que nous considérons pourtant tous comme une chose immuable). Il ne faut donc pas s'étonner si les schizophrènes se sentent tristes et désespérés, s'ils perdent leur goût de vivre, s'ils sont effrayés face aux autres, et s'ils craignent que leur «différence», leur folie, soit perçue par les autres! Quel choc cela doit représenter pour l'estime de soi et pour la confiance en soi, surtout lorsque la maladie frappe au moment où les gens planifient leur avenir et leur profession, et s'attendent à vivre des relations sociales et sexuelles. Je peux comprendre que les patients aient peur de moi, peur d'être traités essentiellement comme des «fous», qu'il s'agisse de leur propre personne, de leur condition humaine ou de leur seconde personnalité. Ils ont bien raison d'être réticents à me rencontrer.

En ce qui me concerne, comment puis-je comprendre ce que c'est qu'être «fou», «malade mental», psychotique? J'ai davantage pris conscience de ma propre peur de la folie, et je sais mieux comment cette peur m'incite à garder mes distances. Cette prise de conscience a influencé tout mon travail ultérieur. Un changement subtil s'est produit dans ma façon de penser: après avoir considéré mes patients comme «schizophrènes», j'en suis venu à réaliser que c'était des gens comme moi, mais affligés d'une maladie appelée schizophrénie. J'entame une relation individuelle avec tous ceux que je rencontre et qui souffrent de schizophrénie comme je le fais avec n'importe qui. Je veux avoir une relation personnelle avec eux, et je veux qu'ils aient une relation personnelle avec moi. Alors, ensemble, on peut en arriver au traitement de la maladie proprement dite. En tant que psychiatre, je sais que la meilleure façon d'agir sur la base biologique de la schizophrénie, c'est la prise d'une médication psychotrope (neuroleptiques), à dose bien calculée. Je sais aussi que la médication que je prescris entraîne des effets secondaires, par moments assez importants, et que je dois être attentif à ce que les malades me disent de ces effets secondaires. Je sais que peu de gens apprécient devoir suivre ce type de traitement leur vie durant. Qu'il s'agisse de la schizophrénie, de l'arthrite, des allergies, ou de la dialyse destinée à contrer les troubles rénaux, l'obligation de suivre un traitement jour après jour, pendant des semaines, des mois et même des années, est souvent perçue comme démoralisante, surtout par les jeunes malades. Il n'est donc pas surprenant qu'ils aient tendance à se rebeller de temps en temps contre ce type de traitement indéfini. Je dois admettre que je me sens solidaire de ceux qui veulent arrêter les traitements, mais en même temps, je dois quand même honnêtement inciter mes patients à ne pas abandonner les traitements à long terme.

Cela crée alors un conflit entre mes patients et moi. J'aimerais illustrer ce dilemme et sa solution, à partir du cas de certains malades. Je parlerai toutefois plus abondamment du premier malade.

Mon premier contact avec Grace eut lieu il y a sept ans; à ce moment, elle souffrait déjà, depuis l'âge de 22 ans, d'une psychose profonde. En prenant connaissance de son dossier, je constatai qu'elle avait passé 38 des 94 mois précédents à l'hôpital. Elle y avait été admise douze fois, parfois pour quelques jours, parfois pour un an. Elle passa 18 mois hors de l'hôpital (son plus long congé) alors qu'elle était traitée par un médicament antipsychotique à longue durée d'action, sous forme injectable. Sa maladie était en fait difficile à traiter. Elle avait développé un certain cycle selon lequel elle réagissait très lentement à la médication, s'améliorait après un long combat, bénéficiait d'une période de rémission, arrêtait sa médication et tombait subitement malade. Même lorsqu'elle prenait ses médicaments, elle était sujette à des épisodes dépressifs.

Au moment où j'ai commencé à travailler avec elle, elle avait 29 ans. Son père était décédé lorsqu'elle avait 18 ans et sa mère, qui avait quitté la famille quand Grace n'avait que 9 ans, souffrait à cette époque d'une maladie chronique qui exigeait son hospitalisation (sclérose en plaques). Grace était considérée, par plusieurs membres du personnel de l'hôpital, comme une personne continuellement perturbée au moment où on me l'envoya. D'autres médecins lui avaient conseillé d'éviter tout stress parce que cela pourrait provoquer une rechute. En outre, on lui avait interdit toute relation étroite avec des personnes du sexe opposé, parce que cela entraînerait inévitablement une rechute. On lui avait affirmé de surcroît que le travail était trop stressant pour elle. Pendant un certain nombre d'années, elle avait été traitée par un psychiatre qui avait manifesté beaucoup de chaleur et d'intérêt, mais elle avait développé une attitude infantile et dépendante à son égard. Il fut clair pour elle, dès le début, qu'elle n'entretiendrait pas le même type de relation avec moi. Malgré mon intérêt et ma sollicitude envers elle, je voulais qu'elle devienne la plus indépendante possible. Il est probable que je risque d'être déçu lorsque je me fixe pour objectif l'indépendance des malades, mais je suis convaincu qu'il vaut mieux espérer plus que moins. Avec Grace, je fus agréablement surpris, parce qu'il m'apparut bientôt qu'elle pouvait assumer plusieurs responsabilités et qu'elle devenait de plus en plus indépendante. Par ailleurs, elle apprenait beaucoup de choses sur sa maladie.

Après deux ans, nous étions en désaccord sur de nombreux points. Grace continuait à insister pour que je réduise sa médication. Comme elle ne souffrait d'aucun effet secondaire, je tentais de résister à ses exigences mais, de temps en temps, j'acquiesçais à ses désirs, en lui disant: «Prenons le risque. Nous n'avons qu'à attendre et nous verrons bien comment cela ira». J'ai alors réalisé qu'à chaque fois qu'elle faisait ce type de demande c'était parce qu'elle refusait d'accepter la réalité de sa maladie. Elle souhaitait que la maladie disparaisse et qu'elle n'ait plus besoin de médication. Il me semblait impossible de la convaincre, même si je continuais à essayer de le faire.

Une autre cause importante de soucis pour moi, était le fait que, parfois, elle se pensait à nouveau psychotique. Certaines composantes de la psychose peuvent sembler séduisantes: par exemple, elles peuvent accorder la liberté d'être bizarre et l'illusoire liberté de fuir les responsabilités. Finalement, nous en sommes arrivés à une confrontation. Elle voulait que je cesse de lui donner sa médication; je lui répondis alors que je ne pouvais pas faire cela et continuer à me sentir totalement responsable en tant que médecin.

J'ai traversé des périodes de doute; elle avait probablement raison pour les médicaments, pour mon conservatisme et ma crainte d'une rechute de sa psychose alors qu'il n'y avait aucun risque; peut-être aussi était-il cruel de ma part de continuer à vouloir à tout prix son retour à la «santé», la folie était peut-être pour elle une lutte moins difficile.

En fait, elle a arrêté d'elle-même sa médication et est redevenue psychotique quelques mois plus tard; depuis, ces troubles ont disparu. La folie est-elle une option «raisonnable» que les gens peuvent être libres de choisir?

Harry est un homme de 35 ans, dont la schizophrénie fut diagnostiquée tardivement, parce que ses difficultés sur le plan de la personnalité et son abus des drogues avaient brouillé le tableau clinique. Chez lui, tous les médicaments provoquaient des effets secondaires graves, sans que cela soit objectivement vérifiable. Il était évident qu'il n'aimait prendre aucun neuroleptique. Une fois, il insista pour que je l'hospitalise, en proférant contre lui-même et les autres de sérieuses menaces, qu'il mettrait à exécution si je refusais. Il était clair qu'il existait dans sa vie certains conflits qu'il tentait de résoudre à sa façon; toutefois, mes tentatives répétées de clarifier ce sujet furent vouées à l'échec. J'avais effectivement peur qu'il passe aux actes si je n'accédais pas à sa demande d'hospitalisation.

Il quitta l'hôpital au bout d'une semaine seulement, mais je m'inquiétais de l'avenir, pour cet homme qui n'acceptait pas la médication et pouvait me faire du chantage pour parvenir à se faire hospitaliser. À plusieurs reprises, Harry tenta de régler le conflit qui existait entre nous, en demandant à être vu par un autre médecin. Il entra en contact avec plusieurs autres médecins mais, invariablement, il revenait me voir. J'avais souvent l'impression de me battre pour une cause perdue. Pour l'aider à rester «bien», je devais lui prescrire la médication qu'il refusait de prendre. Son état stagnait donc, à cause de mes soins, mais pas à cause de mon traitement.

Le médecin se demande toujours ce qu'il doit faire dans de telles circonstances? Pour ma part, je ne sais jamais jusqu'à quel point je dois être «dur». Un jeune homme, Jim, s'améliorait bien peu, au cours d'une hospitalisation prolongée. Nous avons découvert que cela était dû au fait qu'il fumait de la marijuana, autant à l'hôpital qu'à l'extérieur. En lui interdisant de quitter le service et en surveillant ses visiteurs, nous avons obtenu une nette amélioration, même s'il considérait les membres du personnel comme des «gardiens de prison». Lorsque son état s'améliora, nous pûmes discuter des dangers de la marijuana; on lui permet alors de sortir du service, mais il recommença immédiatement à fumer et rechuta. Frustrés, nous décidâmes de restreindre à nouveau ses sorties, mais cette fois, il n'accepta pas les restrictions, quitta l'hôpital et même la ville. Naturellement, sa maladie réapparut en quelques jours et on nous le ramena, toujours enclin à fumer de la marijuana.

L'abus de marijuana constitue une menace pour les autres patients à qui Jim peut en fournir; le personnel se sent par ailleurs impuissant, et alors tout le monde m'en veut. Dois-je accorder un congé au malade et affronter la colère de la famille, ou dois-je le garder plus longtemps et essayer de le traiter avec l'aide d'un personnel peu compatissant? C'est là une de ces situations difficiles qui fait que je peux plaire au malade en ordonnant son congé, tout en m'attirant la colère de la famille.

Certains conflits finissent heureusement par se résoudre: un malade avec qui j'avais eu une relation chaleureuse et coopérative a souffert subitement d'un grave accès. La famille était alors incapable d'y faire face; le patient ne se considérait pas malade, mais constituait en fait un risque considérable pour sa propre sécurité. Je décidai de l'hospitaliser contre son gré. Il me signifia qu'il ne me ferait plus jamais confiance.

Devais-je insister et risquer de détruire ma relation avec lui? Devais-je le renvoyer et courir le risque d'une aggravation de sa maladie et, éventuellement, d'un danger pour lui et les autres? Je me considérais alors comme un traître mais l'hospitalisai néanmoins, contre son gré. Il refusait de me parler au début, mais, à mesure qu'il s'améliorait, il réalisa ce qui était arrivé, et finit par mieux comprendre sa maladie qu'auparavant. Mon action avait en fait consolidé notre relation.

Parfois, le personnel avec qui je travaille peut être en désaccord avec moi à propos du traitement. Par exemple, rares sont les membres du personnel qui soient disposés à utiliser les électrochocs, qui pourtant, du moins je le crois, peuvent constituer un traitement efficace et humain dans certaines conditions. Il est difficile de mettre au point un plan de traitement ou une thérapie sans l'adhésion unanime de l'équipe soignante; il faut donc passer beaucoup de temps en réunions et en discussions avec les membres de l'équipe pour obtenir une certaine cohésion. Les malades détectent très rapidement les désaccords entre les membres du personnel et c'est souvent dans ces circonstances qu'ils refusent le traitement.

Les patients et leurs familles semblent parfois croire que les médecins utilisent une approche thérapeutique dont ils ne dévient jamais et qu'ils sont insensibles à leurs suggestions et à leurs préoccupations. Un médecin qui se conduirait de cette façon exercerait une bien piètre médecine. Nous ne pouvons pas constamment agir en accord total avec les exigences du malade ou de sa famille, mais nous devons toujours être ouverts à leurs suggestions et accepter de mettre celles-ci en pratique lorsque cela est possible. La cause principale de conflit est la suivante: contrairement à ce qui se passe pour la plupart des autres maladies, la schizophrénie peut affecter un individu d'une façon telle que celui-ci n'éprouve pas la nécessité d'un traitement.

La schizophrénie confronte le médecin à des problèmes nombreux et complexes. Peu de psychiatres se spécialisent dans ce domaine, principalement à cause des nombreux dilemmes qu'il apporte. Je me suis d'ailleurs souvent demandé si mon travail en valait la peine. Je n'en suis pas vraiment certain, mais je pense que, pour moi, c'est un souci profond d'aider ceux qui sont affectés par cette maladie qui me motive. La schizophrénie est un ennemi commun que le malade et le médecin doivent vaincre, même si c'est souvent un ennemi invincible. Fréquemment, on peut la mettre en échec, en espérant que la victoire ultime survienne dans le futur. Le psychiatre ne peut pas la combattre seul. Je réalise à présent que j'ai besoin de l'aide de collègues compétents dans certains domaines, de celle des patients et de celle de leurs familles. Et la victoire survient beaucoup plus rapidement lorsque je peux convaincre le malade que le combat en vaut la peine.

ANNEXE I

Organismes
et services

Voici une liste alphabétique des organismes et services qui peuvent être utiles aux différents stades de la confrontation avec la schizophrénie. Les familles qui déménagent dans une autre ville peuvent obtenir les numéros de téléphone de ces services dans l'annuaire téléphonique. Une fois que vous faites partie de ce réseau, vous êtes plus facilement informé des nouveautés et des améliorations disponibles.

Académie de médecine. (peut être classé sous «S», pour société médicale ou sous «M», pour médecin). L'académie de médecine vous suggère des noms de médecins et de psychiatres exerçant dans votre voisinage. Plusieurs psychiatres se spécialisent; par exemple, certains s'intéressent particulièrement à la psychiatrie de l'adolescence, à la thérapie familiale, de groupe ou de couple, ou à la schizophrénie. On peut aider à obtenir des renseignements sur ces spécialités.

Alcoolisme et centres de traitement. Certains schizophrènes essaient, pendant de nombreuses années, de se traiter eux-mêmes par l'absorption d'alcool, pour tenter d'atténuer certains de leurs symptômes. Cela peut les mener à l'alcoolisme, lequel peut requérir un traitement spécifique.

Ambulance. Les ambulances assurent le transport des malades à l'hôpital, et constituent des services d'urgence habituellement répertoriés dans la première ou la seconde page de l'annuaire téléphonique.

Associations. Les sections locales de diverses associations médicales, psychologiques, psychiatriques et d'assistance sociale, ainsi que les associations d'entraide, figurent dans la rubrique «associations».

Associations pour la santé mentale. Dans la plupart des villes, états ou provinces, des associations pour la santé mentale exercent une action efficace à différents niveaux. Aux États-Unis, il faut contacter la Mental Health Association, National Headquarters, 1800 North Kent Street, Arlington, Va. 22209, et au Canada, l'Association Canadienne pour la Santé Mentale, 2160 rue Yonge, Toronto, Ontario, M4S 2Z3.

Avocats et services légaux. Les avocats sont classés par secteurs. L'aide juridique est également accessible dans la plupart des villes.

Bibliothèques. Les bibliothèques municipales, universitaires et hospitalières peuvent consituer une bonne source de documentation sur la schizophrénie.

Centres de détresse. Ce sont des services téléphoniques utiles en période de crise; ils figurent habituellement dans les premières pages des annuaires téléphoniques.

Centres de secours pour toxicomanes. Ces centres visent la désintoxication; ils figurent habituellement dans la rubrique «services d'urgence».

Centres de traitement et de renseignements pour toxicomanes. Comme cela se produit avec l'alcool,

161

l'usage de drogues peut entraîner un problème secondaire pour certaines victimes de schizophrénie.

Consulats. Les consulats peuvent informer les voyageurs des diverses possibilités sur le plan local.

Fondations. Il existe des fondations éducatives, philanthropiques et vouées à la recherche, qui s'intéressent à la schizophrénie.

Hôpitaux. Les hôpitaux peuvent être éventuellement répertoriés par secteurs. Un appel téléphonique à l'hôpital le plus proche vous renseignera sur l'urgence et les services psychiatriques qui sont classés séparément. Une visite dans les services psychiatriques de différents hôpitaux peut vous aider à décider quelle est l'institution la plus appropriée pour une personne donnée. L'assurance-maladie peut prendre en charge les frais pour tel type d'hôpital, mais pas pour tel autre. Aux États-Unis, pour obtenir des renseignements, il faut contacter l'American Hospital Association, 840 North Lake Shore Drive, Chicago, Ill. 60611. Au Canada: Association des hôpitaux du Canada, 410 ouest, avenue Laurier, Ottawa K1R 7T6. Tél: (613) 523-9154.

Infirmières. Des infirmières à domicile et des infirmières en santé publique exercent dans la plupart des villes.

Médecins et chirurgiens. Les médecins sont recensés sous ce titre dans l'annuaire téléphonique. En général, il n'existe pas de liste à part pour les psychiatres mais, parfois, la spécialité du médecin est indiquée après son nom. Un appel vous permettra d'obtenir davantage de renseignements sur les consultations, les prix et les domaines d'intérêts particuliers du médecin.

Organisations religieuses. Plusieurs organisations religieuses offrent le gîte, des programmes d'activités diurnes, des repas et des vêtements aux personnes démunies.

Organisations de services sociaux. Celles-ci comprennent: les organismes d'aide à la famille et à l'enfance; les services d'information à la communauté; les services de prévention du suicide; les organismes qui procurent la nourriture, les vêtements et un abri aux indigents; les gîtes pour groupes spéciaux, y compris les ex-patients psychiatriques; les services légaux; les cantines mobiles pour ceux qui ne peuvent pas se déplacer; les services d'interprètes pour immigrants; les programmes culturels spéciaux destinés aux immigrants; les groupes d'entraide et les services d'éducation. Pour de plus amples renseignements, aux États-Unis, il faut écrire à The National Assembly of National Voluntary Health and Social Welfare Organizations, 345 East, 46th Street, New York, NY 10017.

Pharmacies. Les pharmaciens peuvent habituellement donner de bons renseignements sur les médicaments; ils peuvent également fournir des brochures sur les médicaments utilisés pour traiter la schizophrénie.

Police. Les numéros de téléphone des forces de police figurent toujours dans les premières pages de l'annuaire téléphonique.

Radio et télévision. Les programmes scientifiques et ceux traitant des services publics constituent souvent de bonnes sources de renseignements récents concernant la schizophrénie.

Renseignements concernant les poisons. En cas de surdosage, les numéros des centres locaux de renseignements concernant les poisons peuvent être rapidement trouvés dans la première ou la deuxième page de l'annuaire téléphonique.

163

Services gouvernementaux. Il faut ici consulter la liste des services gouvernementaux offerts aux divers niveaux de gouvernements. Ces services comprennent: la sécurité sociale (les allocations familiales, l'assurance-chômage, etc.); l'emploi, y compris le travail pour personnes handicapées; l'assurance-maladie; les laboratoires de santé publique; les centres de santé mentale; les hôpitaux psychiatriques; le logement; les services à l'enfance; les services pharmaceutiques; les services sociaux; les centres communautaires; les services légaux (justice de paix, lois concernant la famille; assistance sociale; services psychiatriques); le bureau du coroner; la police; les services de protection et de probation; l'immigration; et la ligue des droits et libertés de la personne. Aux États-Unis, le National Institute of Mental Health, 5600 Fishers Lane, Rockville, Md 20857, est le quartier général des services en santé mentale.

Services personnels. Des services de gardiennes d'enfants, de femmes de ménage et de personnes de compagnie peuvent être bien utiles lorsque la famille part en vacances.

Services de placement. Ces services existent dans la plupart des communautés.

Services de réadaptation. Les services privés sont classés séparément des services de réadaptation subventionnés par les gouvernements.

164

ANNEXE II

Groupes d'entraide

Les groupes d'entraide sont des organisations spécialement conçues pour les ex-patients psychiatriques; certains visent spécialement le schizophrène et/ou ses parents. La liste suivante comporte des adresses utiles, classées dans l'ordre alphabétique, par pays, par état (pour les États-Unis) ou par province (pour le Canada) et dans l'ordre alphabétique pour chaque état ou province.

Angleterre

National Schizophrenia Fellowship
78/79 Victoria Rd
Surbiton, Surrey KT6 4NS

Antilles

Mrs D.V. Malik
Lower flat, Coconut Cottage
Hastings, Christchurch
Barbados

Australie

ARAFMI
(Association of Relatives and
    Friends of the Mentally Ill)
15 Nucella St
Mansfield 4122
Brisbane, Queensland

ARAFMI
Swanbourne Hospital
Davies Rd
Claremont 6010
West Australia
Tel: 3841022

COPE
P.O. Box 83
Hunters Hill 2110
New South Wales

New South Wales Association for
Mental Health
Suite 2, 1st Floor, 194 Miller St
North Sydney 2060
New South Wales
(also branch of ARAFMI)

Victorian Schizophrenia Fellowship
1 Gwenda Ave
Blackburn 3130, Victoria
Tel: 8780710

Autriche

HPE (Hilfe fur Psychisch.
Erkrankte)
Spitalgass 11/4 Stock
1090 Wien
Tel: 43 0755 or (7:30–8:30 am)
65 7299

Canada

Alberta
Alberta Friends of Schizophrenics
Mrs Mary Fitzgerald, President
103 Westbrook Dr
Edmonton T6J 2C8
Tel: 435-7657

Calgary Friends of Schizophrenics
Dr Jagar Wani
216 Varsity Green Bay N.W.
Calgary T3B 3A8
Tel: 284-6796

British Columbia
Vancouver Friends of
Schizophrenics
Mrs Betty Caughan
1826 West 62nd Ave
Vancouver V6P 2G4

Manitoba
Canadian Mental Health
Association
Manitoba Division
330 Edmonton St
Winnipeg R3B 2L2
Tel: (204) 942-3461

Schizophrenia Treatment and
Research Foundation
Children's Hospital
685 Bannatyne Ave
Winnipeg R3E 0W1

Ontario
Canadian Friends of
Schizophrenics
Queen Street Mental Health
Centre
1001 Queen St W.
Toronto M6J 1H4
Tel: (416) 535-8501

Mrs John A. Belford (Jeanne)
1097 Lakeshore Rd E.
Oakville L6J 1K9
Tel: (416) 845-0410

Ontario Friends of Schizophrenics
Queen Street Mental Health
Centre
1001 Queen St W.
Toronto Tel: (416) 535-8501

Quebec
Association of Relatives and
Friends of the Mentally Ill
5213 Earnscliffe Ave
Montreal H3X 2P7

ALPABEM — (Association
Lavalloise de parents pour le
bien-être mental)
765, rue Roland-Forget,
Laval (QC) H7E 4C1
(Centre communautaire Duvernay)
Présidente: Fernande Ashfield —
Tél.: 669-5170
Centre communautaire Duvernay —
Tél.: 668-2620

Association canadienne pour la
santé mentale
550, rue Sherbrooke ouest,
Suite 410
Montréal (QC) H3A 1B9
Tél.: 849-3291

Association canadienne pour la
santé mentale
432, boul. St-Cyrille ouest
Québec (QC) G1S 1S3
Tél.: (418) 683-1775

Association d'entraide pour le
bien-être émotionnel du Québec
inc.,
12538, rue Lachapelle, Cartierville
(Québec) H4G 2N8, 332-0783,
M. Daniel Latulipe, président
331-0459

APAMM (Association des parents
et amis des malades mentaux et
émotionnels, inc.)

ARAMFI — (Association of
relatives and friends of the
mentally and emotionally Ill,
inc.)
5347, Côte-des-Neiges,
Montréal (QC) H3T 1Y4 —
Tél.: 937-5351
Ottawa (Ontario) — Tél.: 236-9447

AQPAMM — (Association

AQPAMM
2270, rue Papineau # 7
MONTREAL, Qc
H2K 4J6

201, rue Curé Poirier ouest,
Longueuil (QC) J4J 2G4
(CLSC Longueuil ouest)
Tél.: 651-9830

CPRPC — (Centre de planification
de ressources psychiatriques
communautaires)
5347, Côte-des-Neiges,
Montréal (QC) Suite 35 H3T 1Y4
Tél.: 731-8059

The Grapevine — (Friends for
mental health West Island
inc./Les amis de la sante
mentale, inc.) — Madame Viens
Glenadale House, 164 Lakeshore,
Pointe-Claire (QC) H9S 4J7
Tél.: 697-0966

P.A.L. — (Programme d'aide-
logement)
3957, rue Wellington, Verdun
(QC) H4G 1V6
Tél.: 767-4701 et 766-4227
Organisme communautaire d'ex-
patients psychiatriques

Regroupement des parents et amis
du malade mental —
Jean Renaud
432, boul. St-Cyrille ouest,
Québec (QC) G1S 1S3
Tél.: (418) 683-1775

Society for Emotionally Disturbed
Children
1622 Sherbrooke W.
Montreal H3H 1C9

Solidarité psychiatrie, Inc.
(Association d'ex-patients
psychiatriques)
7401, rue St-Hubert,
Montréal (QC) H2R 2N4
Tél.: 271-1653

États-Unis

Arkansas
Arkansas Parents of Adult
Schizophrenics
c/o Park Hill Presbyterian Church
North Little Rock 72116

Arizona
Mental Health Advocates'
Coalition of Arizona
1245 E. Concorda Dr
Tempe 85282

California
Advocates For Mentally Ill
Los Angeles County
17140 Burbank Blvd, Unit 107
Encino 91316

Alliance for the Mentally Ill
3330 Lampsa
San Carlos 94070

American Schizophrenia
Association
Alameda County
2401 LeConte Ave
Berkeley 94709

Association for Mentally Ill of
Napa State Hospital
3438 Lodge Dr
Belmont 94002

Barbara Hoover
1817 Ridgewood
Bakersfield 9330

Darlene Prettyman
Tulare County
18560 Ave 327
Ivanhoe 93235

Families And Friends of Mentally
Disabled
Santa Cruz County
315 Laguna St
Santa Cruz 95060

Families and Friends of Mentally
Ill
Stanislaus County
201 Stewart Rd
Modesto 95350

Families and Friends of the
Mentally Ill
Nancy Olderman
1740 Broadway
San Francisco 94109

Families for Mental Recovery
Yolo County
718 Oeste Dr
Davis 95616

Families for Mental Recovery Inc
Humbolt County
P.O. Box 4404
Arcata 95521

Families Group of Mental Health
Association
Alameda County
1801 Adeline St
Oakland 94607

Families Group of Mental Health
Association
Fresno County
1759 Fulton St
Fresno 93721

Family Effort
2241 Rossmoor Dr
Tancho Cordoba 95670

Foothill Families and Friends for
Mental Recovery
Auburn County
P.O. Box 234
Penryn 95663

Friends and Families of Mentally
Disabled
Riverside County
44981 Veijo
Hemet 92343

Marin Parents for Mental
Recovery
Marin County
P.O. Box 501
Ross 94957

Mt Diablo Schizophrenia
Association
Contra Costa County
2857 Patarmigan Dr #2
Walnut Creek 94595

Parent Advocates for Mental
Health
61 Morningsun
Mill Valley 94941

Parents and Families of
Schizophrenics
Napa County
P.O. Box 3494
Napa 94558

Parents for Mental and Emotional
Recovery
Contra Costa County
1149 Larch Ave
Moraga 94556

Parents of Adult Mentally Ill
Santa Clara County
84 South 5th St
San Jose 95112

Parents of Adult Schizophrenics
San Diego County
5820 Yorkshire Ave
LaMesa 92041

Parents of Adult Schizophrenics
San Mateo County
P.O. Box 3333
San Mateo 94403
Tel: (415) 593-2632 or 345-2745

Parents of Mentally Disturbed
San Benito County
#24–1156 San Benito St
Hollister

Relatives and Friends Group of
Metropolitan State Hospital
11400 Norwalk Blvd
Norwalk 90650

San Francisco Schizophrenic
Association
San Francisco County
290 – 7th Ave
San Francisco 94118

South Coast Schizophrenia
Association
Orange County
2437 Winward Lane
Newport Beach 92660

Westside and Coastal Friends
363 – 20th St
Santa Monica 90402

Colorado
Families and Friends of the
    Mentally Ill
980 – 6th St
Boulder 80302

Family and Friends of Chronically
    Mentally Ill
4220 Grove St
Denver 80211

Support, Inc
11335 West Exposition Ave
Lakewood 80226

Florida
Family and Friends Support Group
MHA of Palm Beach County
909 Fern St
West Palm Springs 33401

Ms J. Adams
4500 E. 4th Ave
Hialeah 33013

Parents of the Adult Mentally Ill
666 Laconcia Circle
Lake Worth 33460

Georgia
Alliance for the Mentally Ill (AMI)
30 Chatauchee Crossing
Savannah 31411

AMI
Atlantic Chapter
3240 Lucile Lane
East Point 30344

Hawaii
Frederick Snyder, MD
4778 Kawaihua Rd
Kapaa 96746

Illinois
Concerned Argonne Scientists
Committee on Mental Dysfunction
Argonne National Lab.
Argonne 60439

Frank J. Lynch, Chairman
R. 4, P.O. Box 65
Lockport 60441

Illinois Alliance for the Mentally Ill
P.O. Box 1016
Evanston 60201

Manic Depressive Association
P.O. Box 40
Glencoe 60022

North Suburban Chapter
Illinois Schizophrenia Foundation
1510 East Fremont St
Arlington Heights 60004

Recovery Inc
Association of Nervous and
    Former Mental Patients
116 South Michigan Ave
Chicago 60603

Schizophrenia Association of
    West Suburban Chicago
P.O. Box 237
Downers Grove 60515

Indiana
Mental Health Association in
    Indiana Inc
1433 North Meridian St
Indianapolis 46202
Tel: 638-3501

Mental Health Association in
  Marion County
1433 North Meridian Street
Room 201
Indianapolis 46202
Tel: 636-2491

Parent Information Resource
  Center
1363 E. 38th St
Indianapolis 46205

South Bend Family Support Group
403 E. Madison
South Bend 46617

Iowa
Iowa Schizophrenia Association
520 S.E. 1st St
Eagle Grove 50533

North Iowa Transition Center
1907 S. Massachusetts
Mason City 50401

Kansas
Families for Mental Health
4538 Meridan Rd
Topeka 6667

Kentucky
Schizophrenia Association of
  Louisville
1816 Warrington Way
Louisville 40222

Society of Schizophrenia
511 Holmes St
Terrace Park 45174

Louisiana
ARCED
P.O. Box 511
Westwego 70094

Friends of the Psychologically
  Handicapped of Greater New
  Orleans
P.O. Box 8283
New Orleans 70182

People's Alliance, MC
1808 Edinburg St
Baton Rouge 70808

Maryland
Alliance for the Mentally Ill (AMI)
95 E. Wayne Ave, Apt 201
Silver Spring 20901

Ms Nancy Down
5905 Windham
Laurel 20810

Threshold, Families and Friends of
  the Adult Mentally Ill Inc
3701 Saul Rd
Kensington 20795

Massachusetts
Dr Harold Cohen
15 Walnut St, Box 247
Natick 20760

Michigan
Anawim
Robert R. Hartigan, NSJ
Loyola House
2599 Harvard Rd
Berkley 48072

Citizens for Better Care
163 Madison Ave
Detroit 48226

Council of Mental Health
  Consumers
442 E. Front St
Traverse City 49684

OASIS
1212 Parkdale
Lansing 48910

Oasis Fellowship Inc
Box 794
East Lansing 48823

Pat Burry
18535 Bainbridge
Southfield 48076

Relatives Inc
1562 Greencrest
East Lansing 48823

SHARE
2371 Valleywood Dr S.E.
R.11
Grand Rapids 49506
c/o Mrs D. Singer

Minnesota
Mental Health Advocates Coalition
of Minnesota Inc
268 Marshall Ave
St Paul 55102

Mental Health Association of
Minnesota Inc
6715 Minnetonka Blvd
Rooms 209–210
St Louis Park 55426
Tel: (612) 925-5806

REACH
4141 Parklawn #105
Edina 55435

Schizophrenia Association of
Minnesota
6950 France Ave, Suite 215
Edina 55435

Mississippi
Families and Friends of the
Mentally Ill
Rt. 7, Box 500
Hattiesburg 39401

Missouri
Alliance for Mentally Ill
14 S. Euclid
St Louis 63108

Huxley Institute for Biosocial
Change
Kimler Building
10424 Lackland Rd
St Louis 63114

The National Alliance for the
Mentally Ill (National AMI)
500 E. Polo Dr
Clayton 63105

Schizophrenia Care and Treatment
Society
14 S. Euclid
St Louis 63108
Tel: (314) 367-6303

Montana
North Central Montana
Community
Mental Health Center
Holiday Village
Great Falls 59405

Nebraska
Mrs Albert Nethnag
912 East 1st St
McCook 69001

New Hampshire
Granite State Chapter
American Schizophrenia
Association
Box 296
Meredith 03252

172

New Hampshire Division of
Mental Health
Health and Welfare Building
Hazen Dr
Concord 03301

New Jersey
Concerned Citizens for Chronic
Psychiatric Adults
27 Prince St
Elizabeth 07208

Mental Health Advocacy Group
Inc
340 – 12th St
Palisades Park 07650

North Dakota
Mrs Hjordis Blanchfield
Rt. 1, Box 129
Devils Lake 58301

New York
Adele Armsherism
700 Columbus Ave
New York 10025

American Schizophrenia
Association
c/o Huxley Institute
1114 First Ave
New York 10021
Tel: (212) 759-9554

Concerned Citizens for Creedmore
Inc
P.O. Box 42
Queen's Village 11427

Federation of Parents
Organizations
c/o Rockland Psychiatric Center
Orangeburg 10962

Friends and Advocates of the
Mentally Ill (FAMI)
NY Self Help Center
240 E. 64th St
New York
Tel: (212) 840-9860

The Gateposts Foundation Inc
P.O. Box 526
Bayside 11361

Long Island Schizophrenia
Association
1691 Northern Blvd
Nanhassel

Mrs Carol Ward
29 Annsville Tr
Yonkers 10703

'Self-Help Reporter,' National
Self-Help Clearing House
Graduate Center/CUNY
33 West 42nd St
Room 1227
New York 10036
Tel: (212) 840-7606

Ohio
Community Services Planning
Project
222 E. Central Pkwy, 502-C
Cincinnati 45202

Families in Touch
50 West Broad St
Columbus 43215

Katherine Evans
2156 Carabel Ave
Lakewood 44107

Oklahoma
Families in Touch
5 W. 22nd St
Tulsa 74114

173

REACH
3113 N. Classen
Oklahoma City 73118

Oregon
Parents for M.H.
1864 Fir South
Salem 79302

Save-a-Mind
411 Spyglass
Eugene 79401

Taskforce for the Mentally and
  Emotionally Disabled
718 West Burnside, Room 301
Portland 97209

Taskforce for Mentally and
  Emotionally Disturbed
23975 S.E. Bohna Park
Boring 97009

Pennsylvania
Combined Parents for Legislative
  Action Com Inc
Box 15230
Pittsburgh 15230

Families and Friends of
  Morristown State Hospital
240 Roumfort Rd
Philadelphia 19119

Families Unite for Mental Health
  Rights Inc
Box 126
Oreland 19075

Families United of Orelane PA
c/o Dr A. Marsilio
321 Sylvania Ave
Glenside 19038

Main Line Mental Health Group
108 E. Lancaster Ave
Wayne 19087

National Society for Autistic
  Children
Greater Pittsburgh Area Chapter
414 Hazel Dr
Monroville 15146

Parents of Adult Mentally Ill
Eleanor Slater
314 Birmingham
Pittsburgh 15201

Rhode Island
Project Reach-out
57 Hope St
Providence 02906

South Carolina
Families and Friends of the
  Mentally Ill
P.O. Box 32084
Charleston 29407

Texas
Mrs Robert Parse
5906 Fenway
Corpus Christi 78413

Virginia
Parents Group
1602 Gordon Avenue
Charlottesville 22903

Pathways to Independence
1911 Youngblood
McLean 22101

Schizophrenia Foundation of
  Virginia
Box 2342
Virginia Beach 23452

174

Washington
Advocates for the Mentally Ill
Box 5585
Seattle 98105

Community Family Group
9715 Fruitland Ave E.
Puyallup 98002

Family Action for the Seriously
Emotionally Disturbed
505 – 29th St S.E.
Auburn 98002

Schizophrenia Association of
Seattle
506 N. 47th St
Seattle 98103

Schizophrenia Support Group
P.O. Box 5353
Vancouver 98683

Wisconsin
Alliance for the Mentally Ill (AMI)
Dane County Rt. 8
1997 Hwy P.B.
Verone 53593

Alliance for the Mentally Ill of
Greater Milwaukee
Box 16819
Milwaukee 53216

AMI – Racine County
827 College Ave
Racine 53402

Fox Valley Alliance for the
Mentally Ill
1105 Canterbury Dr
Oshkosh 54901

Utah
Mel Kissinger
Box 264
Provo 84601

Israël
Enoch National Center
Organisation for the Advancement
of the Mentally Disordered in
Israel
Miklat Gan Hanev'im
Rechov Malachi
P.O. Box 21672
Tel-Aviv
Code 61216

Mrs Chanita Rodney
Timorin 79430
Tel: 055-96250

Japon
National Federation of Families
with the Mentally Handicapped
1989–19 Oiso-machi
Naka-gun Kanagawa Pref.

Nouvelle Zélande
Schizophrenia Fellowship (NZ) Inc
Box 593
Christchurch

République d'Irlande
Mr O.V. Mooney
6 Brewery Rd
Stillorgan, Co. Dublin
Tel: Dublin 880297

Mrs B. O'Reilly
Audilaun, Greenville
Listowel, Co. Kerry
Tel: Greenville 114

R.F.A.
German Association of Self-Help
Groups
63 Giessen, Friedrichstrasse 28